CW00417353

Tuğba Aydin

Wilder Schwan

www.tredition.de

Verlag & Druck: tredition GmbH, Halenreie 40-44,
22359 Hamburg

ISBN
Paperback: 978-3-7497-0768-3
Hardcover: 978-3-7497-0769-0
e-Book: 978-3-7497-0770-6

Ich sah in mein Herz, als die wilden Schwäne vorüberglitten;
und was erkannt' ich, das ich nicht hatte gesehn' vorher?
Nur eine Frage, die nie ihr Ziel erreicht,
Nichts, was dem Fluge der wilden Schwäne gleicht -
Täglich bist Du zum Leben und Sterben bereit -
Törichtes Herz – Haus, das zu eng gebaut,
Ich flieh' Deine Schwelle, werfe die Türe zu -
Wilde Schwäne, zieht hin ohne Rast und Ruh
Über die Stadt – breitet die Schwingen und schreit.

- Edna St. Vincent Millay, "Wilde Schwäne"

Kapitel 1

„Was ist der Sinn meines Lebens?“

Stellte sich der alte weiße Mann mit dem welken Angesicht und der vermutlich mit Bierdosen gefüllten Tragetasche wohl je diese Frage?

Idil blickte melancholisch durch die schmutzige Fensterscheibe nach draußen. Der Zug fuhr durch eine triste Landschaft. Bleierne Wolken erstreckten sich bis zum fernen Horizont.

Warum er wohl zu trinken angefangen hatte, denn offensichtlich war er ein abgehalfterter Alkoholiker, und auch wenn er einige Meter von ihr entfernt saß, konnte sie den beißenden Geruch wahrnehmen, der von ihm ausging.

Idil schloss die brennenden Augen. Am anderen Ende des Wagons erhob sich plötzlich ein immer geller werdendes Gekreische. Sie versuchte sich ihren Unmut nicht anmerken zu lassen.

Ihre Wohnung im Zentrum der Stadt war nichts besonderes; es war eng und man war darin umgeben von nervigen Nachbarn, die sich in zwei Kategorien unterteilen ließen: die Jungen, die sich die meiste Zeit über recht unauffällig benahmen, doch mitunter besoffen oder zugedröhnt durch den Gemeindebau lärmten, und die älteren Nachbarn, die wesentlich leiser waren – im Gegensatz zu ihren gottverdammten Hunden.

Seit Idil denken konnte, hatte sie Hunde nicht leiden können. Widerliche, dumme, stinkende Kreaturen. Dagegen war sie vernarrt in eine andere Tierart: Sie liebte Katzen. Ironischerweise hatte sie nie eine Katze besessen.

„Hey, schon da?”, rief ihre jüngere Mitbewohnerin, als sie auf die Schwelle ins Wohnzimmer trat.

Idil ließ ihre große Handtasche auf den Boden in der Diele plumpsen, zog ihre Daunenjacke aus und warf sie über die Couch.

„Schon gegessen?”, fragte ihre Mitbewohnerin jetzt. Idil bejahte, setzte sich zu ihr an den Holztisch am offenen Fenster. Isabel war Afroösterreicherin und genau wie sie in Wien geboren. Sie war bereits Idils zweite Mitbewohnerin, mit der vorherigen hatte es Krach gegeben. Mit Isabel verstand sie sich gut, und inzwischen waren sie einander vertraut – vielleicht lag es daran, dass sie Gemeinsamkeiten hatten. Sie studierten beide Physik. Und obwohl sie vom Alter her nicht so weit hätte sein dürfen wie Idil, machte Isabel bereits ihren Master. Sie saß die meiste Zeit über ihren Büchern und die Professoren sahen in ihr bereits den ersehnten Nachwuchs, während Idil sich vom mäßigen Wind des Lebens treiben ließ, ohne dabei je einen Hafen zu erreichen.

„Wie geht's, was tust du?”, fragte sie ihre Mitbewohnerin in Anbetracht der vielen auf dem Tisch ausgebreiteten Bücher.

„Deine Mutter hat angerufen.”

„Bei dir? Warum das?" Idil stand auf und holte ihr Smartphone aus der Daunenjacke.

„Sie hat sich offenbar Sorgen um dich gemacht, weil sie dich nicht erreichen konnte. Und sie will uns heute Abend einen Besuch abstatten, um zu sehen, wie es dir geht."

Das Display des Handys blieb dunkel.

„Mein Akku ist leer."

„Wieder? Mensch, Idil, sie hat sich Sorgen um dich gemacht", wiederholte Isabel.

Diesen rügenden Ton wollte Idil nicht länger hören, auch wenn sie zugeben musste, dass ihre Mitbewohnerin recht hatte. Mit einem schlaffen „Ja, ja" ging sie in ihr Zimmer, das vor herumliegenden Kleidungsstücken nur so strotzte. Ausschließlich ihr Bett in der Ecke war ordentlich gemacht. In einem kleinen Wandregal standen ausschließlich Batwoman-Comics.

Aus der Schublade ihres Nachtschränkchens holte sie einen silbernen Flachmann mit Gravur hervor, nahm mehrere üppige Schlucke, bevor sie unter der Decke verschwand. Ihr Kopf fühlte sich schwer an, so schwer wie ihre Augenlider.

Ein Lichtschein wie von einer Kerze zauberte ein dunkelrotes Muster auf den staubigen Boden. Ansonsten war sie umgeben von Dunkelheit. Plötzlich registrierte sie einen deutlichen Riss im Boden, einen gerade verlaufenden Spalt, der in die Tiefe führte.

Langsam wachte sie auf. Es war dämmrig geworden, einige Stunden mussten verstrichen sein. Sie wälzte sich auf die andere Seite und bemerkte den roten Haarschopf einer schlafenden Frau. Es war ihre Mutter. Ihrer vornehmen Kleidung nach zu urteilen war sie unmittelbar von der Arbeit hierhergefahren.

Träge beobachtete Idil ihre Umrisse, den zarten Körperbau, das weiche Gesicht, das furchterregend wirken konnte, wenn sie wütend war. Selma Akdağ arbeitete seit über einer Dekade als Rechtsanwältin in einer kleinen Kanzlei in Wien, war von gefestigtem Charakter und hatte, soweit Idil sich erinnern konnte, ein ganz besonders ausgeprägtes Bedürfnis nach Unabhängigkeit. Ihre Mutter war immer ihr größtes Vorbild gewesen, doch seit Idil vor ein paar Jahren gegen Selmas Willen ausgezogen war, war ihr mehr als einmal der Gedanke gekommen, dass sie wohl niemals so großartig wie ihre Mutter werden könne.

Und das stimmte. Doch wie kam es, dass sie so unterschiedlich waren? Eine beflügelnde Flamme schien in der Brust ihrer Mutter zu brennen, die ihr jedes Mal auf die Beine half, wenn sie wieder einmal über einen Wall an niederträchtigen Hindernissen stolperte, und mit jedem Mal schien diese Flamme stärker zu brennen.

Allmählich richtete sie sich auf und weckte ihre Mutter zärtlich auf.

„Meine Liebe", sagte diese liebevoll auf Türkisch, während sie den Kopf leicht emporreckte, „wie geht es dir? Du hast nicht abgehoben, ich habe mir solche Sorgen gemacht." Sie setzte sich auf die Bettkante, strich ihrer Tochter die langen scharlachroten Strähnen hinters Ohr.

Idil versicherte ihr, dass alles in Ordnung sei und dass sie nicht mehr so bang um sie zu sein brauche.

„Räum dein Zimmer auf, Liebling, ist ja der reinste Saustall hier!", rügte die Mutter sie schließlich und verließ das Zimmer.

Ein fragiles Lächeln stahl sich auf Idils Lippen. Ein heimisches Gefühl erfüllte sie, ein Gefühl der Sicherheit, der Geborgenheit.

Als Abendessen hatten Selma und Isabel Gemüsesuppe mit Hähnchenschenkeln zubereitet, ein würziger und angenehmer Geruch durchströmte das Wohnzimmer.

Selma mochte Isabel, das war offensichtlich. ‚Die junge Frau war intelligent, verantwortungsbewusst, eine angenehme Person.

„Frau Akdağ, Sie sehen müde aus."

„Ja, meine Liebe, heute war ein etwas hektischer Tag. Aber morgen kann ich mich ja schön ausruhen, da arbeite ich von zu Hause aus", sagte Selma und schenkte ihr ein vertrauliches Lächeln.

Isabel nahm einen Schluck Wasser und sagte: „Sie können auch hier übernachten. Ich bin morgen früh weg, ich würde Sie also nicht stören."

„Lieb von dir, Schönheit. Aber es wäre das Beste, wenn ich gehe."

Idil, die unauffällig weiterschlemmte, bemerkte im nächsten Augenblick mit halb vollem Mund: „Oh Gott, das Essen ist köstlich."

Isabel lächelte sanft.

„Wenn was ist, ruft ihr mich an, verstanden?" Selma stand an der Türschwelle. „Und wenn jemand an die Tür klopft, ja nicht öffnen, ohne vorher durch den Spion geschaut zu haben. Am besten, ihr öffnet die Tür gar nicht, wenn ein fremder Mann davorsteht, auch nicht, wenn er wie ein Postbote gekleidet ist. Ihr seid keinem Mann ein Wort schuldig", wiederholte sie.

Isabel schien ihre Sorge zu schätzen und besänftigte sie, während Idil gegen den Türrahmen gelehnt an ihren Nägeln spielte. Es war nicht so, als würde sie die Worte ihrer Mutter nicht ernst nehmen, natürlich würden sie keinem fremden Mann die Tür öffnen, natürlich würden sie umsichtig sein, natürlich gingen sie überall nur mit einem Pfefferspray hin.

Nachdem sie einander flüchtig umarmt hatten, sahen sie Selma hinterher, bis diese hinter der Treppe verschwand.

„Deine Mutter ist ein Engel", bemerkte Isabel, nachdem sie die Tür abgeschlossen hatte.

Idil blickte sie keck an. Sie räumten den Tisch ab, wünschten einander eine gute Nacht, dann paukte Isabel im Wohnzimmer weiter und Idil verschwand in ihrem Zimmer.

Sie öffnete den Laptop auf dem mit Büchern belegten Schreibtisch, der direkt am Fenster stand, sodass man auf eine graue Hauswand blicken konnte.

Buchstaben um Buchstaben tippte sie ein, aus Worten wurden Sätze und daraus entstand ein Text.

Die tiefe Stille der Nacht wurde unterbrochen, als es um Mitternacht zu regnen begann. Idil stand auf und machte einen der schmalen Fensterflügel weit auf, ungeachtet der winterlichen Kälte. Ein kleiner Stapel dünner Bände mit den Gedichten von Edna St. Vincent Millay lag auf dem Tisch. Sie machte das Licht an, blieb mitten im Zimmer stehen und schlug eines der Bücher auf.

Nach einem langen Moment blätterte sie eine Seite um. Das Buch schien sie dermaßen zu vereinnahmen, dass sie sich nicht rührte, als es laut donnerte. Schließlich schaltete sie das Licht wieder aus und legte sich rücklings auf Bett. Der Gedichtband lag offen auf ihrer Brust. Das Display ihres Laptops verströmte weißes Licht.

Sie blickte zur Decke, ein Hauch Melancholie lag in ihren Augen. Als der Regen immer heftiger zu prasseln begann, stand sie wieder auf, schob ihren überfüllten Schreibtisch zur Seite und öffnete auch den anderen Fensterflügel. Mit der Zeit wurde es eisig kalt im Zimmer, ungeachtet dessen legte sie sich rücklings auf das Bett, den Band mit den Gedichten unter den Arm geklemmt.

Später in der Nacht betrat Isabel ihr Zimmer. Sie machte kopfschüttelnd die Fenster zu und drehte die Heizung auf, deckte Idil zu. Dies war zur Routine geworden, seit sie von Idils Angewohnheit wusste. In jeder Regennacht folgte sie dieser Routine. Sie machte sich Sorgen um ihre Mitbewohnerin, vielleicht war es auch Mitleid oder beides.

Am nächsten Morgen lag ein weißer Nebel über der Stadt. Es war düster und die Straßen wirkten grauer als sonst.

„Du hast wieder bei offenem Fenster geschlafen", bemerkte Isabel beim Frühstück. Sie klang, als könnte sie kein Verständnis dafür aufbringen – zu Recht.

Idil nickte, stopfte sich mit Gemüse voll.

„Wie geht es mit deinem Roman voran?"

„Gut", sagte Idil, doch das entsprach nicht der Wahrheit. Sie wollte nur nicht, dass Isabel weiter in sie drang. Als ihre Gedanken nun begannen, um ihre Geschichte zu kreisen, schob sich ein penetrantes Bild vor ihr inneres Auge: In Gedanken köpfte sie einen Säugling, die wahnsinnigen Schreie der gefesselten Eltern waren im Hintergrund zu hören. Der weiche Kopf mit den halb geöffneten Augen rollte zur Seite weg.

Idil sah auf. „Ich überlege mir, für eine Woche oder so aufs Land zu ziehen."

Isabel guckte sie überrascht an. „Warum denn das? Was willst du dort machen, und musst du nicht für eine Prüfung studieren?"

„Ja, aber ich möchte etwas ..." Sie brach ihren Satz ab, als wäre sie um die richtigen Worte verlegen. Doch als Isabel sie nach wie vor abwartend anblickte, erklärte sie: „Ich möchte für eine Weile verschwinden. Ich möchte einfach ... verloren sein."

Isabel warf ihr einen verständnislosen Blick zu.

Idil wandte sich schwermütig wieder ihrem Teller zu.

Am frühen Nachmittag besuchte sie eine Vorlesung an der Uni. Ein paar Studenten hatten für die Mitschrift ihre Laptops mitgebracht, die meisten schrieben auf Schreibblöcke. Die Professorin führte sie in die höhere Mathematik für Physiker ein. Für Idil waren Vorlesungen und Seminare nichts Unerlässliches. Sie lernte viel schneller und viel besser aus dicken Sachbüchern. Im Unterricht bekam sie oft nicht viel mit, ihre Konzentration ließ rasch nach, jedes noch so leise Trippeln mit den Fingerspitzen, Herumzappeln hier und dort oder irgendein nerviges und dummes Getuschel wie gerade eben von drei jüngeren Studierenden hinter ihr machte sie wütend und ließ Gefühle in ihr aufkommen, die sie unterdrücken musste. In ihrer Schulzeit hatte sie deswegen ständig geschwänzt. Für sie war der Unterricht lediglich Zeitverschwendung, die zudem an ihren wohl feinen Nerven zerrte und sie zu Xanax greifen ließ.

Seufzend packte sie nach Ende der Vorlesung ihre Sachen und haute ab. In der Nähe des Universitätsgebäudes blieb sie vor einer öffentlichen Pinnwand stehen. Von Flyern bis hin zu Bewerbungen war alles an Mitteilungen zu sehen. Sie drehte sich um, als eine bekannte Stimme ihren Namen rief. Florian, ein gutaussehender und intelligenter Mann, den sie im letzten Jahr auf einer Vorlesung kennengelernt hatte, löste sich von seinem Freundeskreis und kam mit einem Lächeln auf sie zu. Er war größer als der durchschnittliche Österreicher, offenbar kontaktfreudig, konnte auf andere Menschen eingehen und hatte Charme.

„Wie geht's, hast du gerade was vor?", erkundigte er sich.

Idil schüttelte den Kopf. „Nein, ich wollte nach Hause."

„Ich hab in ein paar Stunden noch ′ne Vorlesung, wollte was essen gehen. Komm doch mit, wir haben uns ja ewig nicht mehr gesehen."

Idil blickte ihn träge an. Überall plapperte irgendwer, ständig dröhnte der Verkehr von der nahen Straße.

„Nein, danke, aber im Moment hab' ich keine Lust."

Er wirkte ein wenig enttäuscht. „Gut ... dann sehen wir uns irgendwann mal."

Sie nickte, drehte sich um und wollte Richtung U-Bahn davongehen.

„Hey, warte", rief er ihr nach, als wäre ihm etwas Wichtiges eingefallen. Mit wenigen Schritten hatte er sie eingeholt. „Ich und mein Bruder haben von einem bekannten Professor aus Salzburg eine Einladung zu einem einwöchigen Gratisaufenthalt in einer Landvilla bekommen. Die Besitzerin der Villa ist eine renommierte Künstlerin aus Deutschland, sie soll KünstlerInnen aus dem ganzen Land eingeladen haben, damit sie sich dort während der Weihnachtsferien miteinander austauschen können, zwecks Selbstinspiration. Man darf maximal zwei weitere Personen mitbringen."

„Ist das in einer ländlichen Gegend?"

Er bejahte.

„Wo genau?"

Er setzte seinen Rucksack ab, kramte einen langen Moment in den Vordertaschen, wurde dabei etwas hektisch. Schließlich reichte er ihr die Einladung. Sie entnahm dem offenen Umschlag ein handgroßes, dickes Papier in goldener Farbe. Die Schrift war elegant und vornehm. Links unten stand die Adresse, die Zugfahrt würde von Wien aus nur eine Stunde dauern. Idil gab ihm gelinde lächelnd die Karte zurück. „Gut, ich komme mit. Schick mir einen Screenshot davon, wir treffen uns dann dort."

Er freute sich offensichtlich über ihre Antwort. „Wenn es dir recht ist, würde ich dich lieber abholen. Ich hab etwas recherchiert; das Haus liegt wirklich total abgeschottet von der Gesellschaft und fernab der öffentlichen Verkehrsmittel."

„Gut, danke. Dann sende ich dir meine Adresse."

Er schien seine Freude nur schwer verbergen zu können, grinste bis über beide Ohren. Flüchtig verabschiedete sie sich von ihm.

Kapitel 2

Dichter Nebel zog über das öde Gelände dahin. Der Horizont war nicht zu erkennen. Der Wagen fuhr gemächlich, um nicht von der schmalen Straße abzukommen, denn die Sicht war trotz Nebelscheinwerfern auf weniger als fünfzehn Meter eingeschränkt.

Idil guckte auf ihr Smartphone. Kein Netz. Sie hatte ihrer Mutter versichert, dass sie sich bei ihr melden würde, sobald sie dort angekommen wäre.

Florian, der sich nach hinten zu ihr gesetzt hatte, blickte sie fragend an. „Alles in Ordnung?"

„Kein Netz." Sie packte ihr Handy wieder in die Tasche, rückte ans Seitenfenster und blickte hinaus. Wo ein Ende, wo ein Anfang war, wusste man hier nicht. Der Nebel wirkte mit seiner außergewöhnlichen Dichte bedrohlich. Dort draußen, abseits der schmalen Fahrspur, konnte man sich leicht verirren. Sie war froh, dass sie sich dazu entschlossen hatte, mitzukommen.

Die Fahrt schien sich immer mehr in die Länge zu ziehen, und je mehr Zeit verstrich, desto stärker überkam sie das undefinierbare Gefühl, in die Unauffindbarkeit abzutauchen.

„Hast du nicht gesagt, es wären nur zehn Kilometer bis zum Haus?", fragte Florian seinen älteren Bruder. Der antwortete nicht.

Nach einer Weile wurde das Auto langsamer. Sie erkannten gerade noch einen roten Punkt in der Ferne, der beim Näherkommen langsam an Kontrast gewann.

„Da steht ein Auto", bemerkte Idil. Der rote Punkt war eine Nebelschlussleuchte. Die Umrisse eines blauen Geländewagens tauchten auf, sie hielten nah dahinter an. Eine mollige, ältere Frau mit zu Zöpfen geflochtenen braunen Haaren, die ihr fast bis zur Hüfte reichten, stieg aus dem Auto.

Florians Bruder ließ seine Fensterscheibe herunter, während sich die Frau ihnen näherte.

„Sie wollen bestimmt auch zum Anwesen von Frau Schwan?", erkundigte sie sich.

„Ja, aber das Wetter ist wirklich ungewöhnlich. Da kann man sich leicht verirren."

„Stimmt, stimmt! So einen Nebel habe ich in meinem ganzen Leben noch nie gesehen!", sagte sie mit aufgewühlter Stimme. „Vielleicht sind wir an dem Anwesen bereits vorbeigefahren, ohne es zu merken. Bei diesem Wetter ..." Sie sah sich um, um ihren Satz im Nachhinein zu bekräftigen.

„Werden Sie weiterfahren?", fragte er.

„Ja, natürlich, ich kann ja nicht hier warten, bis der Nebel sich auflöst."

Während sie zu ihrem Auto ging, rief er ihr nach: „Wir folgen Ihnen."

Nach ungefähr einer halben Stunde passierten sie eine kaputte Straßenlaterne, kurz darauf tauchte eine durch laternenförmige Solarleuchten erhellte Seitenstraße auf. Diese führte sie nach einigen Metern zu einem schwarzlackierten, imposanten Metalltor zwischen hohen Hecken, die sich ein Stück nach rechts und links erstreckten, ehe sie vom Nebel verschluckt wurden. Das Tor stand weit offen, als würde man ihre Ankunft bereits erwarten. Sie passierten gepflegte Ligusterhecken und allmählich kamen die Umrisse eines vornehmen, doppelgeschossigen Anwesens mit Seitenflügeln zum Vorschein. Die meisten Vorhänge waren zugezogen, nur wenig Licht fiel nach draußen. Vier weitere Autos parkten in der Zufahrt.

Idil stieg aus. Sie blickte sich um, sah eine breite, niedrige Freitreppe, die ins Haus führte. Rechts und links standen auf hohen Podesten zwei Steinlöwen. Der Nebel schien sich inzwischen sogar noch mehr verdichtet zu haben. Sie war im Nirgendwo gelandet, abgeschottet von der restlichen Gesellschaft. Sie war verunsichert und gleichzeitig hingerissen. Ihr Herz schlug jäh gegen ihre Rippen, sie verließ den Pflasterweg und trat in den grauen, feuchten Nebel.

„Idil", rief Florian ihr nach.

Sie drehte sich um, und er schaute sichtlich verwundert, verwundert über das Lächeln auf ihren roten Lippen.

Sie blickten zum Anwesen, als die massive Eingangstür aufgeschlossen wurde. Ein betagter, ziemlich stämmiger Bediensteter im Anzug trat auf die Schwelle.

„Willkommen. Frau Schwan erwartet Sie", sagte er trocken und forderte sie mit einer Geste auf, einzutreten.

Idil betrat als Letzte die weitläufige Eingangshalle. Eine große Treppe aus massivem Holz mit einem zierlichen Geländer führte in einen offenen Korridor, der von ungeheuren Säulen getragen wurde. Sie blickte zu der gewölbten Decke hinauf; sie war mit prächtigen

Ornamenten verziert und in der Mitte hing ein alter Kronleuchter mit vielen Flammen herunter. Die Wände waren holzvertäfelt, was in Idils Augen der Atmosphäre einen erdrückenden, aber auch anheimelnden Anstrich verlieh.

Der Bedienstete führte sie geradewegs zu einem Bogendurchgang hinter den Säulen. Dieser führte in einen Saal, aus dem Männerstimmen erklangen.

Idil erblickte eine Gruppe von jungen Männern in vornehmen Anzügen oder Smokings. Ein paar von ihnen standen auf, um sie zu begrüßen. Einer der Männer, der in der Ecke gegen eine Kommode gelehnt hatte und eine Zigarette rauchte, betrachtete Idil ganz genau. Er beäugte den schwarzen, dreiteiligen Anzug, den sie unter ihrem Mantel trug. Sie blickte ihn nicht an, doch selbst aus dem Augenwinkel konnte sie seinen neugierigen Blick noch genau erkennen.

Der Bedienstete nahm ihnen die Jacken und Mäntel ab. Idil zog auch ihr Jackett aus. Sie trug eine schwarze Weste mit Perlmuttknöpfen und leichtem V-Ausschnitt, darunter eine weiße, floral bestickte Schleifenbluse aus Baumwolle. Ihre Absätze trafen wenig graziös, aber selbstsicher auf dem Boden auf.

Die Männer stellten sich vor und erzählten, was sie studierten oder beruflich taten. Zusammen waren sie nun sechzehn Personen. Außer Idil waren alle Anwesenden von jenem Professor aus Salzburg persönlich eingeladen worden.

Idil sah sich unauffällig um. Schirmförmige Wandleuchten hingen zwischen den großen Fenstern, die von hellen Vorhängen samt Draperien verdeckt waren. Ihr gefiel dieser Anblick.

Ein üppiger Kronleuchter hing über dem kleinen Sitzbereich. Am anderen Ende des Saals befand sich eine doppelflügelige Tür in einer Wandnische.

Der Mann, der Idil beobachtet hatte, setzte sich ihr gegenüber auf das Sofa; er drückte seine Zigarette auf dem bloßen Tisch zwischen ihnen aus, ohne die Augen von ihr abzuwenden.

Sie blickte ihn direkt an. „Hab ich was im Gesicht oder warum glotzt du mich so an?"

Sämtliche Unterhaltungen verstummten, die jungen Männer betrachteten die beiden interessiert.

„Darf man eine Dame heutzutage etwa nicht mehr anschauen?", erkundigte sich der Angesprochene mit sanfter Stimme. „Eine hinreißende Dame."

Seine ruhige Art beschwichtigte Idil ein wenig. Sie ignorierte ihn, stand auf und ging mit langsamen Schritten um das Sofa herum, während sie ihren silbernen Flachmann aus der Hosentasche zog und daraus einen großen Schluck nahm.

„Georg." Der Mann war zu ihr getreten und lächelte sie gesellig an.

„Idil", entgegnete sie und machte den Flachmann zu.

„Ich muss mich wegen meines Verhaltens von vorhin entschuldigen. Es war geschmacklos."

Sie blickte ihn gleichgültig an; vermutlich glaubte er, sie würde seine Heuchelei nicht durchschauen.

„In diesem Männergestank plötzlich eine so hinreißende junge Dame wie Sie zu sehen hat mich wohl dazu getrieben."

Sein Lächeln versteinerte, als sie sich gleichgültig von ihm abwandte, um ihren Blick durch den Saal schweifen zu lassen. Bald trat der Diener, der ihnen die Tür geöffnet hatte, in den Saal. Die Gäste wurden still.

„Meine Damen und Herren, die Dame ist bereit, sie zu empfangen." Er stolzierte mit perfekt aufgerichtetem Rückgrat durch den Saal, blieb vor den beiden Türflügeln stehen und wandte sich zu den Gästen, mit einem Blick, der sagte, dass sie ihm folgen sollten. Dann öffnete er beide Flügel gleichzeitig.

Sie betraten das Esszimmer; die Wände waren dunkel tapeziert, die Vorhänge waren ebenso wie im Saal zugezogen. Ein pompöser alter Kronleuchter beleuchtete einen langen Tisch, auf dem ein beeindruckendes Buffet aufgebaut war. Am Kopfende des Tisches saß eine außergewöhnlich schöne Frau mittleren Alters. Idil hatte sich Frau Schwan als betagte Frau mit weißen Haaren und einer Brille an einer Perlenkette vorgestellt.

Jene Frau hatte ihre Hände verschränkt und blickte ihre Gäste scharfsinnig an. „Bitte setzen Sie sich", sagte sie mit klarer Stimme, dann bemerkte sie Idil, die hervortrat, und ihr Lächeln wirkte plötzlich arrogant, was Idil nicht entging. Sie nahm zwei Stühle von der Dame entfernt Platz. Derweil stellte sich der Bedienstete mit eisernem Angesicht in eine Ecke des Raumes.

Der Platz am anderen Ende des Tisches blieb leer. Idil fragte sich, ob die Dame hier, so weit von der Stadt entfernt, ganz alleine lebte.

Am Tisch wurde es still, alle Blicke richteten sich auf die Gastgeberin.

„Ich heiße Sie alle herzlich willkommen. Ich hoffe, Sie werden sich hier wohlfühlen. Meine Bediensteten werden Ihnen nach dem Mahl Ihre Zimmer zeigen. Ich nehme an, Sie wissen, dass ich diese Einladungen jedes Jahr verteile. Und vielleicht fragen Sie sich, warum ich das tue." Sie pausierte für einen Augenblick, blickte nachdenklich über den Tisch hinweg. „Die Wahrscheinlichkeit, dass die meisten von ihnen hier einfach nur talentlos sind, ist ziemlich hoch."

Sie sprach die ganze Zeit über mit sanfter Stimme, und genau dies empfand Idil als grausam, auch wenn sie wusste, dass sie vermutlich recht hatte.

Ein blonder Mann fragte: „Wieso wir, wenn ich fragen darf?"

Ein leichtes, mysteriöses Lächeln stahl sich auf die Lippen der Dame.

„Das lassen Sie jetzt mal mein Geheimnis sein.” Dann blickte sie in die Runde und sagte: „Ich wünsche Ihnen allen einen guten Appetit.”

Die Vorhänge waren aus purpurrotem Damast, jeweils mit einer beigefarbenen Schleife zusammengebunden. Ein orientalischer Teppich lag vor dem von massiven Balken getragenen Doppelbett. Die Wände waren vertäfelt, ein bodentiefer alter Spiegel mit einem breiten, mit Ornamenten reich verzierten Rahmen stand in einer Ecke. Ein recht schönes Zimmer, dessen Einrichtung schwach an den viktorianischen Stil erinnerte und das seit langer Zeit leer zu stehen schien. Es befand sich im rechten Flügel des Anwesens. Die anderen Gäste waren im linken Gebäudeflügel untergebracht.

Idil nahm ihren Flachmann heraus und nahm einen Schluck, als sie einen Vorhang zur Seite schob und sich gegen den Fensterrahmen lehnte. In der Dunkelheit draußen konnte sie nichts erkennen. Sie schaltete die Nachttischlampe ein, öffnete dann in ihrem gelben Schein einen Flügel des großen Korbbogenfensters und setzte sich auf den breiten Sims davor. Kühle Luft drang herein. Sie lehnte sich zurück, genoss den Whiskey und die grenzenlose Stille.

Sie war weg von allem, weg von dem Geräuschpegel der Stadt, dem Grau, der Routine. Und nun, da sie die Augen geschlossen hatte, glaubte sie tatsächlich, sich im Nirgendwo zu befinden, und die kühle Luft, die ihre Sinne belebte, gab ihr das Gefühl, am Leben zu sein.

Sie wünschte sich, für immer hierbleiben zu können, zumindest aber für einige Monate, auch wenn sie ihre Mutter sehr vermissen würde. Allein ihr zuliebe würde sie immer zurückkehren, und genau deswegen wünschte sie sich, jegliche Erinnerungen an sie und Isabel über Nacht ausradieren zu können. Erinnerungen stellten nur einen Wall von Hindernissen dar, sie waren oft zu nichts gut und malträtierten gerne den Geist des Menschen.

Nach einer Weile brachte der Bedienstete wie abgemacht ihren Handkoffer vom Auto. Sie schloss die Tür ab, machte sich bettfertig, dann ging sie in Unterwäsche ein letztes Mal ans Fenster. Sie fröstelte, machte es zu und ging schließlich ins Bett.

Sie schnüffelte an der Decke und stellte fest, dass der Überzug kürzlich erst gewaschen sein musste.

Mit Wohlgefühl schloss sie die Augen und hätte nicht erwartet, in jener Nacht durch einen durchdringenden höllischen Schrei aus dem Schlaf gerissen zu werden. Sie war gerade eine Sekunde lang hellwach, als der Schrei mit einem Mal abklang. Es hatte geklungen, als würde ein erwachsener Mann bei lebendigem Leib gehäutet.

Mit rasendem Herzen tastete Idil nach der Nachttischlampe, doch es war zu dunkel, um auch nur Umrisse wahrzunehmen. So geschah es, dass sie die Nachttischlampe versehentlich zu Boden stieß. Mit bangem Gesicht hüpfte sie aus dem Bett und tastete sich in jene Richtung vor, in der sie die Tür zu wissen glaubte. Bald ertastete sie die Türklinke und bald darauf hatte sie endlich den Lichtschalter gefunden. Eilig hob sie ihre Kleidung vom Boden auf, schlüpfte in die schwarze Hose und zog sich die Bluse über.

Als sie zur Tür hastete und schon nach dem Schlüssel greifen wollte, rüttelte von außen jemand heftig an der Klinke. Idil erschrak, ging verängstigt ein paar Schritte zurück und erstarrte, als sie glaubte, von draußen ein Wimmern zu hören. Die Klinke bewegte sich hektischer auf und ab.

Idil stand wie paralysiert. Das Wimmern war real, und im nächsten Augenblick hörte es schlagartig auf, genau wie die Bewegung der Klinke. Danach herrschte für einen kurzen Moment absolute Stille. Idil hörte das Pochen ihres Herzes und begann zu bibbern, als sie ein schleifendes Geräusch hörte, das schnell leiser wurde und schließlich verstummte. In diesem Moment überkam sie eine dunkle Ahnung, sie spürte es Böses mit all ihren Sinnen, glaubte gar, es riechen zu können, eine Bosheit, die kein Ende hatte. Noch nie in ihrem Leben hatte sie ein solches Gefühl erlebt, das Gefühl, sich tief im Zentrum des Bösen zu befinden. Auf schwachen Beinen suchte sie nach ihrem Smartphone, doch dieses gottverdammte Teil ließ sich nicht auffinden. Nach wenigen Minuten lag der Inhalt ihres Handkoffers zerstreut auf dem Boden. Sie konnte ihr Handy nicht finden, obwohl sie sich ganz sicher war, es in den Koffer gesteckt zu haben, weil sie kein Netz gehabt hatte. Der Bedienstete musste es genommen haben.

Idil lief mit möglichst leisen Schritten zur Tür, schaltete das Licht aus. Dunkelheit umfing sie. Sie stand dicht vor der Tür und lauschte, doch sie vernahm einige Minuten lang nichts. In Gedanken befand sie sich bereits auf der Flucht, doch eine Stimme in ihr sagte, dass sie sich lächerlich machte. Im Internet hatte sie doch über Karin Schwan recherchiert. Die Dame besaß eine eigene Wikipedia-Seite samt Bild und wurde in mehreren Presseartikeln erwähnt. Die andere Stimme in ihrem Kopf drängte sie dazu, ihre Instinkte ja nicht zu ignorieren.

Ihr Körper verkrampfte sich völlig an, als sie hörte, wie sich Schritte näherten. Unmittelbar vor ihrer Tür verstummte das Geräusch. Dann wurde dreimal leicht an die Tür geklopft.

Die Stimme des Bediensteten, der ihr den Koffer gebracht hatte, erklang: „Frau Akdağ, ich möchte mich hiermit stellvertretend für das restliche Personal für die Störung entschuldigen. Die Angestellten nächtigen in diesem Flügel und der kleine Sohn unserer Köchin ist leider Gottes wieder schlafgewandelt."

Idil atmete tief und möglichst leise durch, nicht etwa, weil sie ihm glaubte, sondern weil sie im Moment womöglich wenig zu befürchten hatte. Sie hatte sich nichts eingebildet, dieser von Qualen erfüllte Schrei war echt gewesen, und er hatte ganz bestimmt nicht von einem Kind, sondern von einem Mann gestammt.

Sie bewegte sich nicht, atmete weiterhin geräuschlos, bis sie hörte, dass er sich zurückzog. Leise tastete sie sich zum Bett vor, verkroch sich unter der Decke. Sie tat kein Auge zu, trank ihren Flachmann leer. Ein paar Stunden später begann es zu dämmern. Sie holte einen Kugelschreiber und das Notizbuch mit dem braunen Ledereinband aus ihrem Koffer und ging zurück ins Bett. Einen langen Moment starrte sie auf leere Seiten, ehe sie das Buch neben sich auf das Bett legte. Sie hatte sich beruhigt, dachte jetzt mehr rational, dennoch konnte sie nicht vergessen, was sie an der Tür verspürt hatte.

Ein paar Stunden später entschied sie, sich umzuziehen. Ihre Kleidung lag noch immer auf dem Boden herum. Während sie nach etwas Legerem Ausschau hielt, fand sie zwischen ihren Kleidern ihr Smartphone. Vor lauter Hektik musste sie es übersehen haben. Sie hatte kein Netz, doch sie konnte einen Neustart durchführen und es mit dem Euro-Notruf versuchen. Versuchen, was versuchen? Hilfe zu bekommen? Weshalb, wegen eines schlafwandelnden Kindes? Diese Stimme beruhigte sie, sie hatte rationale Argumente. Auf der anderen Seite wusste sie genau, dass der Schrei real gewesen war. Sie steckte sich das Handy in die Hosentasche, und bürstete sich in Gedanken die langen, leicht welligen Haare.

Sie hörte das Lachen eines Kindes, folgte dem Geräusch ans Fenster, öffnete es und lehnte sich leicht hinaus. Der dichte Nebel hatte sich größtenteils aufgelöst und ein kleiner Junge von sieben oder acht Jahren lief über die gemähte Wiese. Er blieb stehen und wandte sich breit grinsend um. „Fang mich doch, fang mich doch!", rief er jemandem zu. Bald lief ihm ein anderer Junge hinterher in dem Versuch, ihn zu fangen.

Durch bleierne Wolken stahlen sich einzelne Sonnenstrahlen und streiften die weitflächige Begrünung des Anwesens. Hinter der Hecke erstreckte sich ödes Gelände kilometerweit bis zum Horizont, wo die grüne und die graue Linie ineinander übergingen. Alles wirkte normal und friedlich. Es gab eine gute Erklärung für das, was sie aus dem Schlaf gerissen hatte. Und dieses schleifende Geräusch konnte doch alles Mögliche gewesen sein.

Sie atmete durch.

Im nächsten Augenblick glaubte sie einen weichen, zuckersüßen Ton zu vernehmen. Sie blickte hinaus und lauschte einen Moment lang.

„Miau!"

Nein, es war keine Einbildung gewesen! Es kam vom Zimmer nebenan. Idil bewegte sich zur Tür, zauderte eine Weile, bevor sie aufschloss, und blickte in den dämmrigen, getäfelten Gang, der zur Treppe führte, wandte sich dann der nächsten Zimmertür zu, die ein kleines Stück offen stand. Bald kam eine zierliche, junge Siamkatze heraus.

„Ahh … hey!", rief Idil leise und nahm die Katze in Empfang. Das kleine Geschöpf hatte keine Angst, es war gesellig und ließ sich von ihr ruhig in die Arme nehmen.

„Du kleines süßes Ding, du!"

Sie streichelte das Tier, hielt es bedächtig und überaus zärtlich, blickte zu der Tür, durch die es gekommen war. Vorsichtig klopfte sie an, und als niemand antwortete, betrat sie das Zimmer. „Hallo?"

Es war bescheiden eingerichtet, es gab einen Fernseher und einen Laptop und wer immer hier schlief, hielt anscheinend viel von Ordnung.

Idil betrachtete die Katze. „Suchst du nach deinem Sklaven, hm?"

Das Kätzchen miaute, blickte sie mit seinen dunkelblauen Augen unablässig an. Idil streichelte sanft seinen Kopf, ging mit ihm ins untere Geschoss. Als ihr ein Dienstmädchen über den Weg lief, nutzte sie die Gelegenheiten, um sich nach dem Besitzer der Katze zu erkundigen.

„Die Katze gehört der Tochter der Hausherrin. Morgens geht sie immer Joggen, sie sollte aber bald zurück sein. Und sie füttert die Katze lieber selbst."

„Hatte eh nicht vor, sie zu füttern", murmelte Idil und ging an ihr vorbei. „Hier sind alle irgendwie eigentümlich", erklärte sie der Katze und trat zwischen den Säulen hindurch in Richtung Saal, da sprang die Katze plötzlich über ihre Schulter hinweg und rannte zurück zur Treppe. Idil blickte ihr wehmütig hinterher.

Im Saal traf sie auf Florian. Er und sein Bruder waren die einzigen Personen im Raum.

„Schön geschlafen?", fragte er sie.

„Ja, und du?"

„Hab seit Langem nicht so gut geschlafen", entgegnete er gut gelaunt.

Sie blickte ihn irritiert an.

„Alles in Ordnung?"

„Ein Schrei hat mich mitten in der Nacht geweckt."

„Was, wirklich? Ich hab nichts gehört." Er wandte sich seinem Bruder zu, der auf der Couch saß und paffte. „Hey, hast du in der Nacht was gehört?"

Der blickte ihn seltsam an. „Ja, wie du furzt." Die Antwort brachte Florian offensichtlich in eine peinliche Lage.

„Ich geh etwas spazieren", bemerkte Idil gleichgültig und verließ den Saal. Jetzt, da das Wetter schön war, konnte sie sich das Anwesen genauer anschauen. Der Garten, der das Gebäude umgab, war gepflegt, sie sah einen versiegten Dekorationsbrunnen mit einer Engelsstatue. Große Beete zogen sich entlang der Hecken. Sie war um eine Seite des Anwesens spaziert, als sie einen alten Pavillon in der Nähe des linken Gebäudeflügels entdeckte. Seitlich rankte eine ungepflegte Kletterrose darüber hinweg, deren Dornen lang und bedrohlich spitz waren.

Idil ging ein paar Schritte und blickte nachdenklich in die Ferne. Sie fragte sich, wieso man ausgerechnet hier, auf diesem abgeschiedenen Stückchen Erde, einen Pavillon errichtet hatte. Ihr war kalt, doch das störte sie nicht, sie mochte es, wenn kühle Luft ihre Haut streifte, es war ein erfrischendes, wiederbelebendes Gefühl.

Sie sah überrascht auf, als plötzlich ein dicker Wintermantel sich um ihre Schultern legte. Eine junge Frau, schätzungsweise Ende zwanzig, stellte sich neben sie und blickte ebenfalls zum silbergrauen Horizont. Ein leichtes Lächeln lag auf ihren Lippen. Sie hatte dunkle Ringe unter den Augen, so als hätte sie seit langer Zeit nicht geschlafen.

„Haben Sie einen Todeswunsch?", fragte sie, ohne Idil anzublicken. Ihre Stimme klang leicht rau. Sie hatte schulterlanges Haar in der Farbe ihrer rabenschwarzen Augen. Idil schluckte mechanisch. Wie konnte ein Mensch nur so atemberaubend schön aussehen?

Als die Fremde sie direkt anblickte, entfloh ihr ein heiseres „Was?"

„Sie haben nur eine dünne Bluse an, und das bei diesem Wetter. Sind Sie noch ganz bei Sinnen?"

Die Frau blickte sie an, als wäre sie töricht, dann schaute sie wieder über die Felder, ohne eine Antwort zu erwarten.

„Danke für den Mantel", sagte Idil leise.

Die Frau starrte sie erneut einige Sekunden lang mit diesem seltsamen Blick an, und ihre Augen wirkten enigmatisch.

„Nicole Schwan", stellte sie sich vor und reichte ihr die Hand. Sie war also die Katzenbesitzerin. Idil schüttelte ihre Hand.

„Sie haben eine süße Katze."

„Oh, Sie haben meine Kätzin getroffen?" In diesem Moment irritierte Nicoles Ton sie. Vielleicht bildete sie es sich nur ein, doch sie dachte, dass sie scheinheilig geklungen hatte. Als Antwort nickte sie.

„Sie ist mir über den Weg gelaufen."

„Sie heißt Kitty."

„Oh, wie originell."

Erst als Nicole sie überrascht anblickte, realisierte Idil, deren Blick nach wie vor am Horizont haftete, dass sie sich diese unnötig spitze Bemerkung lieber verkniffen hätte. Sie ignorierte den seltsamen Gesichtsausdruck der Frau.

„Frühstück ist um zehn", bemerkte Nicole und ging zurück zum Haus.

Kapitel 3

Die zweite Nacht war normal verlaufen. Idil hatte die Nachttischlampe angelassen und Handy und Pfefferspray unter das nächste Kissen gelegt. Auch wenn sie manchmal dachte, dass sie übertrieb, vielleicht sogar paranoid war, konnte sie sich ihren Instinkten nicht entziehen. Im Augenblick waren sie ihre treusten Begleiter.

Die Siamkatze war weit und breit nicht zu sehen. Das Anwesen war riesig, bestimmt lungerte sie irgendwo herum. Idil saß auf dem kleinen Tisch in der ländlich eingerichteten Küche, die Füße auf einem Stuhl abgestellt, und ließ Whiskey in ein Glas gluckern.

Sie nahm einen Schluck und schloss die Augen. Durch das Fenster, das sie geöffnet hatte, drang kühle Nachmittagsluft herein. Sie dachte an ihre Mutter und daran, dass diese sich bestimmt unglaubliche Sorgen um sie machte.

„Du scheinst dich zu langweilen."

Sie blickte zur Tür. Nicole, die sie soeben zum ersten Mal geduzt hatte, stand gegen den Türrahmen gelehnt auf der Schwelle. Idil fielen zuerst ihre dunklen Augenringe auf.

„Ich bin alles andere als gelangweilt, Schönheit."

Mit dem letzten Wort schien Nicole nicht gerechnet zu haben. Sie trat gemächlich ins Zimmer.

„Ich hab' hier keinen Empfang", erklärte Idil und nahm einen weiteren Schluck von der goldenen Flüssigkeit. Nicole lehnte sich rücklings gegen den Küchentresen, sodass sie Idil beinahe gegenüberstand.

Ihre Blicke trafen sich.

„Wie stehst du zum Thema Flirten?"

Nicole blickte sie seltsam an. „Nervig."

Idil grinste zufrieden, sie hatte sogleich eine Antwort parat: „Finde ich auch, da haben wir eine Gemeinsamkeit."

Nicole lächelte ihr scharfsinnig zu. „Du bist süß", bemerkte sie mit einem Blick zum offenen Fenster. „Gott, ist dir denn nicht kalt? Bist du überhaupt menschlich?"

Idil entgegnete nichts und nippte nur an ihrem Glas.

„Wie auch immer. Ich bin in meinem Zimmer." Mit diesen Worten verließ Nicole die Küche.

Nach einigen Minuten war Idils Glas leer und sie stand auf. Die Küche führte in die Eingangshalle, wo sie am Ansatz der breiten Treppe kurz stehen blieb. Eigentlich hatte sie nichts vorgehabt, nun überlegte sie, in den rechten Gebäudetrakt zu gehen. Gemächlich bestieg sie die Treppe, der Alkohol verdrängte die Erinnerung an die dunkle Aura, die sie in der vergangenen Nacht gespürt zu haben glaubte. An der Wand des Korridors hingen verschiedene Gemälde, alles Darstellungen von Obst oder Motive aus der Natur, da waren die zierlichen Rahmen doch viel bemerkenswerter.

Es war so ruhig, dass sie die Füße bewusst leise aufsetzte. Die Eingangshalle hatte sie nun hinter sich gebracht, ging den langen Gang entlang, in dem sie und Nicole ihre Zimmer hatten. Der rechte Gebäudetrakt war, wie Idil bereits bemerkt hatte, viel ruhiger und trotz den Angestellten, die gleichfalls hier nächtigten, weniger überfüllt. All die anderen Gäste hatte man so zusammengepfercht, dass sich mehrere Männer jeweils ein Zimmer teilen mussten.

Idil drückte eine Klinke herunter. Die massive Holztür war verschlossen. Sie schaute ein paarmal zurück, um sicherzugehen, dass sie auch niemand sah. Jener grausame Schrei war aus diesem Gebäudetrakt gekommen.

Die nächste Tür war gleichfalls verschlossen, genau wie sechs weitere. Inzwischen war sie an ihrer Zimmertür vorbeigegangen.

„Miau!"

Sie zuckte zusammen und ihre Hand löste sich reflexartig von der Türklinke. Kitty stand ein paar Meter hinter ihr. Erschrocken wanderte Idils Blick zu Nicoles Tür, die geschlossen war. Sie beruhigte sich, ging in die Hocke und rief die Katze leise zu sich. Kitty lief ihr ungehemmt entgegen, schnupperte an ihrer Hand und ließ sich von Idil in den Arm nehmen, als wäre sie ihr vertraut.

Mit dem Kätzchen im Arm klopfte sie an Nicoles Tür. Als keine Reaktion kam, blieb sie einen langen Moment vor der Tür stehen, um sicherzugehen, dass auch wirklich niemand drinnen war, immerhin hatte Nicole gesagt, sie wolle auf ihr Zimmer gehen. Schließlich ging sie weiter, erreichte nach über zehn Metern ein weißes, großes Rundbogenfenster, von dem man eine breite Aussicht auf den Garten hatte. Sie blickte zurück. Es war ruhig, ja, still. Die Katze zärtlich streichelnd trat sie vor die letzte Tür.

Sie drückte die Klinke. Das Zimmer war offen. Bescheiden war es eingerichtet, hatte große Ähnlichkeit mit dem Zimmer, in dem sie schlief. Sie nahm an, dass die Hausherrin wohl einen besonderen Stil bevorzugte.

Die Katze reckte interessiert ihren Kopf. Idil machte die Tür wieder zu und ging zu ihrem Zimmer. Sie setzte Kitty vor ihrem Zimmer ab, ließ ihre Tür einen schmalen Spalt offen. So sehr sie das Tier auch bei sich haben wollte, sie wollte es nicht einfach in ihr

Zimmer tragen. Doch wenn die Katze hereinkommen wollte, dann sollte sie das dürfen.

Idil öffnete das Fenster, setzte sich mit Notizbuch, Kugelschreiber und der Whiskeyflasche, die sie am Morgen aus der Küche gemopst hatte, auf den Fenstersims. Ihr Herz erwärmte sich, als sie Kitty hereinkommen sah. Die schöne Katze sprang auf den Sims, kletterte auf ihren Schoss und rollte sich da gemütlich zusammen.

Idil hielt das Kätzchen vorsichtig von sich weg, während sie vom Sims herunterkletterte. Sie machte das Fenster zu, sie wollte nicht, dass sie Kleine ihretwegen fror. Sie setzte sich wieder und zog sie auf ihren Schoß, und es dauerte nicht lang, bis Kitty es sich wieder gemütlich gemacht hatte. Idil schrieb in krakeliger Schrift in ihr Notizbuch, hin und wieder nahm sie einen Schluck aus der Flasche.

Sie zeichnete ein großes Fragezeichen in eine Ecke der hässlich beschriebenen Seite und machte das Buch zu. Sie wusste nicht, wie viel Zeit verstrichen war, doch es hatte zu dämmern angefangen.

Da sah sie auf dem Holz des Fensterrahmens eine Ameise nach oben klettern. Sie beobachtete sie einige Sekunden lang. Dann stellte sie ihr einen Finger in den Weg, um sie darüber klettern zu lassen. Idil führte sich die Hand vor ihr Gesicht. Die Ameise krabbelte hin und her. Sie half ihr wieder auf den Fensterrahmen, nur um sie mit ihrem Notizbuch zu erdrücken, mit ruhigen Augen, aus denen lediglich Neugier sprach.

Sie zog das Buch zurück, drehte es um. Ein hässlicher, schwarzer Fleck war entstanden, den sie einen Augenblick lang emotionslos betrachtete. Sie legte das Buch vor ihre Füße, und warf einen Blick aus dem Fenster. Die Sonne verbarg sich hinter weißen Wolken. Kitty schlief auf ihrem Schoss, sie schnurrte nicht, sie war im Tiefschlaf.

Als Idil so langsam wie nur möglich nach der offenen Whiskeyflasche langte, fiel ihr auf, dass sie auf die Toilette musste. Es war nicht dringend, daher ließ sie von der Flasche ab und lehnte sich zurück. Der Moment war einfach zu beschaulich, als dass sie etwas daran ändern wollte. Ihre Lider wurden schwer und sie schloss die Augen.

Eine einzelne, lange Hortensie lag auf dunkler Erde. Ihr runder Blütenstand setzte sich aus dicht stehenden Schaublüten in dunklen Fliedertönen zusammen. Sie wollte nach dem Blütenstiel greifen, sie aufheben.

Ein Klopfen an ihrer Zimmertüre weckte sie auf. Es war ziemlich dämmrig geworden, sie musste mindestens ein paar Stunden geschlafen haben. Sie rieb sich ein Auge und lehnte sich vor, da erinnerte sie sich an Kitty und guckte auf ihren Schoß. Die Katze war verschwunden. Sie hatte die Tür nicht ganz zugemacht, sie musste abgehauen sein. Sie rutschte vom Fenstersims und ging zur Tür, wo sich gelbes Licht durch den schmalen Spalt hereinstahl. Ein junges

Dienstmädchen gab ihr Bescheid, dass das Abendmahl in zehn Minuten beginnen würde.

„So spät ist es geworden?”, murmelte sie vor sich hin. Das Abendmahl fand genau um zwanzig Uhr statt.

Das Dienstmädchen entschuldigte sich und ging wieder.

Idil schaltete das Licht ein, stellte sich vor den bodentiefen Spiegel und betrachtete ihre nach wie vor unberührt auf dem Boden liegenden Kleider. Eigentlich hatte sie Lust, ihren Smoking anzuziehen, doch der musste inzwischen knittrig geworden sein. Sie wollte nicht lange darüber nachdenken, was sie anziehen sollte. Schließlich entschied sie sich für ein kurzes, schwarzes Spitzenkleid mit dünnen Trägern und einem Seitenschlitz, der fast bis zur Hüfte reichte. Dazu trug sie purpurrote Ballerina. Ihre langen Haare steckte sie lässig hoch. Die silberne Haarnadel, die sie dazu benutzte, hatte sie von ihrer Mutter zum sechzehnten Geburtstag bekommen. Sie war über zwanzig Zentimeter lang, hatte zierliche Eingravierungen vom drachenförmigen Kopf bis zur gefährlich anmutenden Spitze.

Auf dem Weg zum Esszimmer begegnete ihr kein Mensch und sie fürchtete schon, sie hätte sich verspätet, doch als sie die Tür zum Esszimmer öffnete, fand sie sich im Zentrum aller Blicke wieder. Sie sah Nicole, deren Stuhl bisher immer leer gewesen war, am anderen Ende des Tisches sitzen.

„Bitte setzen Sie sich", bemerkte Frau Schwan freundlich.

Idil nahm neben ihr Platz, dabei spürte sie noch immer die Blicke der anderen auf sich. Nach dem Mahl gingen sie in den Saal hinüber.

Eine langsame, romantische Melodie spielte im Hintergrund. Ein paar der Männer unterhielten sich über ihre jeweiligen künstlerischen Werke. Manche standen an einem Tisch mit alkoholischen Getränken. Frau Schwan hatte sich in ihr Zimmer zurückgezogen.

Idil schenkte sich ein Glas Whiskey ein. Sie hatte nicht bemerkt, wie sich Georg langsam näherte. Zwischen seinen Fingern hielt er eine lange, qualmende Zigarette.

„Ihr Anblick, meine Dame, ist höchst betörend."

Sie blickte ihn gereizt an.

„Würden Sie mir die Ehre erweisen?" Er reichte ihr galant seine Hand.

Sie wandte ihm den Rücken zu und nippte an ihrem Glas. Diese Geste schien ihn zu verstimmen. Er lächelte, doch seine Augen blieben ausdruckslos.

„Wissen Sie,-"

Idil sah überrascht auf, als plötzlich Nicole völlig unerwartet zwischen ihnen auftauchte. Sie stand mit dem Rücken zu Georg und lächelte Idil keck an. Sie trug ein schlichtes violettes Kleid, doch ihre schneidige Art verlieh ihm Eleganz. Ihr Gesicht wirkte lebendig, die dunklen Ringe unter ihren Augen schienen leicht verblasst zu sein.

„Darf ich dich auf einen Tanz einladen?"

Georg, der dies gehört hatte, blickte sie dümmlich an.

Idil lächelte und stellte ihr Glas zurück. Verzückt ergriff sie die ihr dargebotene Hand und ließ sich von Nicole in die Mitte des Saales führen, wo es reichlich Platz gab. Sie war um einen Kopf kleiner als Nicole, so legte sie ihren linken Arm sanft auf den rechten Arm ihrer Tanzpartnerin und spürte gleichzeitig, wie sich deren Hand verlangend zwischen ihre Schulterblätter drängte.

Alle Blicke folgten ihnen, die Gespräche im Saal verebbten augenblicklich.

Idil trat ihrer Tanzpartnerin versehentlich auf den Fuß. Die lachte leise.

„Du kannst überhaupt nicht tanzen, dabei hattest du es doch so eilig, als du meine Hand genommen hast."

Nicole lächelte sie selbstsicher an, ihre dunklen Augen übten eine Art Sog auf Idil aus. „Du bist genau mein Typ."

„Leidest du an Schlaflosigkeit?"

„Und ungeschickt bei der Wahl deiner Antworten."

Nicole führte den Tanz. Sie hatte die Augen eines Raubtieres durch und durch, hielt den Blick die ganze Zeit über auf Idil gerichtet, als versuchte sie, sie mit dem Sogeffekt ihrer Augen bewusst zu vereinnahmen. Idil versuchte den abwartenden Ausdruck in ihrem Gesicht zu bewahren. Schließlich antwortete Nicole auf ihre Frage: „Ja, daher kommen meine Augenringe."

Im nächsten Augenblick geschah es, dass Nicole rasant ihren Arm hob und Idil in eine schnelle Drehung führte, in der sie um Kontrolle verlegen war und sich drehen ließ. Ehe sie es sich versah, riss Nicole sie flink an sich und beugte sie etwas nach hinten, sodass nur wenige Zentimeter ihre Lippen voneinander trennten.

In diesem Augenblick musste Idil unwillkürlich schlucken.

Nicole zog sie allmählich wieder nach vorne, dabei lispelte sie: „Aber auf wundersame Weise habe ich heute geschlafen wie ein Baby."

Idil wusste nicht, was sie antworten sollte, so schwieg sie und spürte erneut die Blicke der Anwesenden auf sich gerichtet. Sie versuchte, sie zu ignorieren. Nach und nach begannen die Leute wieder sich zu unterhalten. Nicole führte sie gemächlich und leicht.

„Du gehörst nicht zu der Gruppe der persönlich Eingeladenen, stimmt´s?"

„Doch. Ich wurde auch persönlich eingeladen, und zwar von einem dieser persönlich Eingeladenen, die von diesem Professor Sowieso persönlich eingeladen wurden."

Nicole lächelte. „Und, interessiert du dich für Kunst?"

Idil verneinte, ohne zu zögern.

„Hängt auch davon ab, welche Art Kunst es ist. Ich neige mehr zu dreidimensionaler Kunst zeitgenössischer KünstlerInnen. Luo Li Rong; ich bezweifle, dass irgendjemand in diesem Raum sie kennt. Sie ist eine klassisch figurative Bildhauerin. Ich habe ein paar ihrer Werke gekauft und sie in die Bibliothek gestellt."

„Ihr habt eine eigene Bibliothek?", fragte Idil überrascht.

„Ich zeig sie dir, wenn du willst."

Sie lächelte inbrünstig. „Ja, gerne!"

„Du bist also ein Bücherwurm."

„Ich bin nicht nur ein Bücherwurm, ich schreibe auch selbst."

„Oh, nun, das überrascht mich nicht."

Idil blickte sie fragend an.

„Du bist sonderbar. Die meisten SchriftstellerInnen sind sonderbar."

Beklommenheit stahl sich auf Idils Gesicht, ihr Lächeln verschwand. „Wieso sonderbar? Wieso bin ich sonderbar in deinen Augen? Du kennst mich doch erst seit heute."

Nicole blickte sie einen Moment lang an, als versuchte sie, Idils Blick zu entschlüsseln. Dann sagte sie: „Sonderbar zu sein ist nicht immer etwas Schlechtes."

Idil wandte sich von ihrem Gegenüber ab, nur um im nächsten Moment wieder in diese Augen zu schauen.

„Menschen, die von ihrem eigenen Verstand geplagt werden, sind immer die Guten, manchmal ohne es zu wissen. Und sie glauben nicht daran, weil sie andere irgendwann einmal verletzt und enttäuscht haben, während sie in den anderen aber nur das Gute sehen, aber kein Mensch ist frei von Schuld. Du wirkst so verwundbar, dass ich mich frage, ob du so ein Mensch bist."

Die langsame Musik im Hintergrund verklang. Idil verlangsamte ihre Schritte und blickte Nicole verwirrt an. Nicole lächelte. Manche der Herren hatten sich inzwischen abgewandt.

„Was machst du so, studierst du oder arbeitest du?", fragte Idil.

„Ich habe Japanologie studiert."

„Was?"

„Frag nicht. Jetzt bin ich erwerbslos."

„Oh."

„Egal. Willst du die Bibliothek sehen?"

Idil nickte, weil sie um Worte verlegen war, sie war immer nochgefangen von jenen Augen.

Nicole hielt nach wie vor ihre Hand, führte sie aus dem Saal, ohne die anderen eines Blickes zu würdigen.

Auf der einen Seite des langen Raumes standen massive, große Bücherregale aus dunklem Holz zwischen korbförmigen Sprossenfenstern. Auf der anderen Seite befanden sich ausschließlich Regale. Lediglich ein paar Wandleuchten sorgten dazwischen für Helligkeit. Ein rot-weißer orientalischer Teppich bedeckte den Boden, über ihren Köpfen hing eine geschnitzte hölzerne Kassettendecke. Zwei fast lebensgroße Frauenskulpturen aus Bronze standen auf Sockeln.

Begeistert machte Idil ein paar Schritte und ließ die Augen umherwandern. Über dem Kamin am anderen Ende des Raumes hing ein großes Gemälde. Daneben war ein Durchgang.

Nicole schien Idils beseelten Gemütszustand zu genießen. „Mary Shelley, Bachmann, Wilde, Woolf; du findest sie alle hier." Sie ging allmählich an den Bücherregalen entlang, ihre Stimme schien in der Luft vibrieren. „Natürlich gibt's auch zeitgenössische Literatur. Bis auf Krimis findest du hier alles, Mutter bezeichnet dieses Genre als billig." Dann blickte sie zu Idil hinüber. „Wenn du dich nicht für Kunst interessierst, dann kann es hier leicht öde für dich werden. In diesem Raum kannst du dich jederzeit aufhalten, du kannst dir auch gerne was ausborgen, Mutter mag Menschen, die lesen."

Idil ging um eine der Skulpturen herum, bewunderte die raffinierte Ausarbeitung. Dann streifte sie gemächlich an den Regalen entlang. Sie kannte die meisten Namen, erinnerte sich an einzelne Titel. Allmählich verspürte sie eine tiefe Traurigkeit. Diese Bücher, deren Anblick sie vor einem Moment noch beflügelt hätte, engten sie nun ein. Sie wollte weg von hier.

Nicole wirkte leicht überrascht, als Idil den Rückweg antrat.

„Ich möchte mich zurückziehen." Sie drehte sich halb um, sie wirkte bedrückt. „Ich hätte gern Wein von diesen Trauben."

Nicole sah verwirrt aus. „Von welchen Trauben?"

Doch Idil verließ wortlos den Raum.

In jener Nacht wurde sie durch Geräusche geweckt. Angst befiel sie, hektisch langte sie nach der Nachttischlampe neben der anderen Seite des Bettes und lauschte. Es war ein fast rhythmischer Klang, der sich immer schneller wiederholte, und er kam von jenseits der Tür. Im nächsten Augenblick vernahm sie ein langgezogenes, klägliches Miauen. Natürlich! Es war die Katze!

Idil stand auf und ging lediglich in Unterwäsche zur Tür, um aufzuschließen. Sofort schlüpfte Kitty durch den Spalt ins Zimmer. Idil schloss die Tür wieder ab und betrachtete Kitty, die sich auf dem Boden rollte und ihr Bäuchlein zeigte.

„Na, du!", rief sie ihr leise zu. Die großen Katzenaugen blickten sie entspannt und aufgeregt zugleich an.

Idil hob sie in ihre Arme und nahm sie mit ins Bett; sie war überrascht, als sich das kleine Tier an sie schmiegte. Bald begann es zu schnurren.

Kurz darauf waren sie eingeschlafen.

Kapitel 4

Sie spürte etwas angenehm Weiches, doch im Halbschlaf konnte sie nicht sagen, worum es sich handelte. In den nächsten Sekunden wachte sie auf, öffnete allmählich die Augen. Mit einem Mal war sie hellwach, ihr Herz raste, als ihr Blick auf die nackte, schlafende Nicole fiel, die dicht neben ihr lag. Ihre Hand umklammerte den Busen der jungen Frau.

Idil zog jäh ihre Hand zurück und stand hastig auf, dabei wäre sie beinahe gestürzt. Sie blickte zur Tür, in deren Schloss der Schlüssel noch steckte. Völlig verwirrt versuchte sie sich an letzten Abend zu erinnern. Sie hatte Nicole eine gute Nacht gewünscht, später war sie durch die Katze geweckt worden. Dann war sie eingeschlafen, aber wo war Kitty?

Blass vor Schreck und mit zittrigen Händen suchte sie auf dem Boden nach ihrem weißen Nachtmantel. Als sie ihn nicht gleich fand, eilte sie zur Tür, die noch immer verschlossen war. Hatte Nicole womöglich einen zweiten Schlüssel, mit dem sie eingedrungen war? Doch aus welchem Grund sollte sie Idils Recht auf Privatsphäre auf so radikale Weise verletzen? Es ergab doch keinen Sinn, oder vielleicht gab es einen, der sich ihr nur nicht erschloss. Sie ging zurück, blieb vor dem Bett stehen und betrachtete Nicole. Sie wirkte so harmlos, dass der Anblick Idil gegen ihren Willen beruhigte. Sie zog sich an, wobei sie der Schlafenden immer wieder einen wirren Blick zuwarf.

Bleierne Wolken verdeckten den Himmel, der Tag war grau und fühlte sich kälter an als der gestrige. Als sie am Fenster stand und in die Ferne blickte, beschloss Idil, so bald wie möglich zu duschen. Ihre Haare waren etwas fettig geworden und ihre Achselhöhlen stanken. Eine Weile saß sie auf dem Fenstersims, die schlafende Fremde im Blick. Schließlich beschloss sie, sie aufzuwecken. Offene Fragen gab es genug. Sie guckte auf ihr Handy, es war bald neun. Um zehn gab es Frühstück.

„Hey!“, rief sie in Richtung des Bettes.

Nicole wälzte sich auf den Rücken. Idil schluckte, versuchte, sie nicht dümmlich anzustarren. Doch ihr Blick stahl sich einmal mehr auf die schlafende Schönheit, die ihre Beine allmählich anzog. Nicole drehte sich wieder auf die Seite, streifte mit der Hand über das weiße Bettlaken, ehe sie endlich die Augen öffnete.

„Schön geschlafen?”, fragte Idil in leicht ironischem Ton.

Nicole setzte sich gemächlich auf, schaute sich flüchtig um, dann betrachtete sie Idil.

„Morgen.”

Idil, die kein Verständnis für ihre ruhige Art hatte, starrte sie fassungslos an.

„Morgen? Willst du mich verarschen? Wärst du ein Mann, ich hätte dich ans Bett gefesselt, dich mit deinem eigenen Schwanz gefüttert und dir dann die Pulsadern aufgeschnitten!"

Nicole blickte sie apathisch an. Dann streckte sie sich mit einem unbeschwerten Lächeln.

„Was machst du hier, wie bist du hier reingekommen, wieso liegst du splitternackt in meinem Bett?", fragte Idil wütend. „Weißt du, wie beängstigend so was ist?"

Nicole stand vom Bett auf und ging allmählich zum Fenster.

„Zieh dir was über!"

Nicole war ihr sehr nahe gekommen, nun kesselte sie Idil vorsätzlich ein, indem sie eine Hand an der Wand abstützte und die andere neben Idil gegen die Fensterscheibe legte. Idil errötete.

„Tut mir leid, wenn ich dich erschreckt habe", sagte Nicole in gespielt schuldbewusstem Ton. „Ich hatte nur so einen schrecklichen Albtraum und wollte nicht länger allein sein."

Ihre Brüste, dachte Idil, und zwang sich, sie nicht anzuschauen, doch sie konnte sie auch aus den Augenwinkeln noch gut erkennen. Sie waren klein und prall. Und ein süßer Duft nach Vanille ging von Nicole aus.

„Du hast gestern gesagt, dass du Geschichten schreibst.“ Ein verführerisches Lächeln hing auf Nicoles Lippen, ihre Stimme war rauer als gestern, was wahrscheinlich daran lag, dass sie gerade erst aufgewacht war. „Zeig mir doch mal eine davon, ich würde sie gern lesen.“

Idil sammelte sich, schluckte, räusperte sich, die Röte schoss ihr ins Gesicht. „Sie … Ich habe sie nicht hier.“

„Oh, wie schade“, sagte Nicole, während sie sich aufrichtete und Idil freigab. Diesmal hatte es ehrlich geklungen. „Was schreibst du denn?“

„Viel Blut“, erwiderte Idil unbeholfen. „Horror, ich schreibe Horrorgeschichten“, korrigierte sie sich schnell.

„Horror? Meine Mutter liebt Horrorgeschichten,“, erwiderte Nicole spröde und schaute zur Tür.

„Und du?“

Fast schon wehmütig blickte Nicole sie an. „Du kannst dir nicht vorstellen, wie sehr ich sie verabscheue.“ In all der Scheinheiligkeit, in der sie sich bisher an den Tag gelegt hatte, schien dies ein ehrlicher Moment zu sein. Idils Mutter sagte oft, dass sie die angeborene Gabe hätte, die Emotionen anderer zu lesen, bis in die Seelen der Menschen zu blicken, doch ironischerweise war sie sich selbst ein Rätsel.

„Ich wollte dich nicht erschrecken.“

„Natürlich wolltest du das nicht.” Nicole schien Idils spitzen Ton überhört zu haben.

„Dann sehen wir uns beim Frühstück. Und du solltest hier wirklich aufräumen”, sagte sie und deutete auf den Boden. Sie ging zur Tür. Auf halbem Weg drehte sie sich plötzlich um und bemerkte keck: „Süße Unterwäsche.”

Idil wurde wütend, sah sich flüchtig um, als suche sie nach einem Kissen, das sie ihr hinterherschmeißen könnte. Doch Nicole lachte nur amüsiert auf und eilte aus dem Zimmer.

Wie verrückt konnte ein Tag nur beginnen? Alles war verwirrend. Sie wusste nicht, was Nicoles Absicht gewesen war. Außerdem hatte sie einen eher leichten Schlaf, wieso hatte das Eindringen der jungen Frau sie nicht geweckt? Sie fühlte sich hier nicht sicher. Sie dachte an jene Nacht, an jene Angst, die sie verspürt hatte. Zudem fühlte sie sich in Frau Schwans Anwesenheit nicht wohl, sie hatte das penetrante Gefühl, dass etwas mit ihr nicht stimmte. Noch vier Nächte, dann würde sie zurückfahren, wieder in die beständige Leere und Sinnlosigkeit, in die Gewalt der Stimmen zurückkehren. Bei dem Gedanken überkam sie eine starke Melancholie. Der Drang zu verschwinden keimte in ihr auf. Sie wollte sich in diesem Moment hinausbegeben und einfach gehen, immer weiter, bis sie sich verlor.

Idil schüttelte sich. Sie nahm sich ein paar schlichte Kleidungsstücke und ging damit ins Badezimmer.

Am Frühstückstisch fehlte einer der jungen Männer, und kein Wort wurde über seine Abwesenheit gesprochen. Es war fast, als hätte er nie existiert.

„Morgen Abend haben wir die Ehre, einen renommierten deutschen Künstler hier zu beherbergen. Nikolas Stein. Sie kennen ihn bestimmt."

Die Männer schauten entzückt auf, während Idil genüsslich weiteraß. Ab und zu glaubte sie eindringliche Blicke auf sich zu spüren, dann blickte sie vergeblich zur Seite, um den Blick zu erwidern. Sie wandte sich Nicole zu, doch die saß schweigend über ihren Teller gebeugt.

„Meine Herren, Herr Stein hat gute Augen. Wenn er Potenzial sieht, versucht er es auszuschöpfen", sagte Frau Schwan hintergründig.

In den darauffolgenden Stunden saßen die Männer im Wohnzimmer, das an den Saal angeschlossen war, und diskutierten so hitzig miteinander, dass es fast wirkte, als würden sie jeden Moment aufstehen und ihre Fäuste schwingen wollen. Mit einem Glas Whiskey trat Idil trägen Schrittes in den Raum, lehnte sich rücklings gegen die Wand, sodass sie die Männer vor sich hatte. Wenn sie sich kratzten, wollte sie es nicht verpassen.

Zufällig begegnete sie Florians Blick; sein steinernes Gesicht und die kalten Augen überraschten sie. So hatte sie ihn noch nie gesehen. Sie winkte ihm mit einem sanften Lächeln zu. Doch er blickte sie nur abweisend an und wandte sich dann ab.

Sie nippte gleichgültig an ihrem Glas und verließ den Raum.

Der Tag verlief recht ruhig, ab und zu gesellte sich die Siamkatze zu ihr.

Seine nach Sünde riechenden, bibbernden Hände waren mit dem Blut dieses Leibes befleckt. Sein Herz pochte, seine Beine fühlten sich wie Gummi an. Da lag er, sein eigen Fleisch und Blut, sein Sohn, dessen Kinderaugen mit letztem Schrecken zur Decke gerichtet waren, sein vor kurzem noch pumpendes Herz mit einem scharf geschliffenen Tranchiermesser durchstoßen.

Er sackte auf die Knie, mitten in die Pfütze aus Blut, an deren aggressiver Farbe er Gefallen gefunden hatte.

Im nächsten Augenblick vernahm er Schritte auf der Treppe, die nach oben führte. Er rannte zur Tür, schloss ab und atmete durch. Ein kühles Rauschen durchströmte seinen Körper und eine seltsame Ruhe überkam ihn.

Er betrachtete die kleine Leiche. Er musste gründlich nachdenken, dann würde ihm schon einfallen, wie er die Leiche wegschaffen konnte, ohne Verdacht zu erregen.

Idil schrieb die letzten Worte und ließ das Notizbuch fallen. Sie seufzte. Es ist nicht brutal genug, dachte sie. Es ist einfach nicht brutal genug. In fast jedem Krimi oder Thriller gibt es so eine Szene.

Sie saß auf dem Fenstersims, blickte in den Garten hinaus. Da bemerkte sie – und das nur durch Zufall – eine weiße Gestalt vor der Zaunhecke. Nun, da sie sich vorbeugte und genauer hinguckte, realisierte sie, dass es ein blasses junges Mädchen in einem weißen Kleid und mit einem gekräuselten weißen Hut auf dem Kopf war. Sie wirkte nicht, als wäre ihr in diesem dünnen Kleid auch nur annähernd kalt. Sie blickte über die Hecke hinweg zum blaugrauen Horizont. Sie drehte sich um.

Idil konnte nur ihren Mund erkennen, der Rest ihres Gesichts lag im Schatten des Huts verborgen. Idil ging schnell; sie glaubte den Hauch eines friedlichen Lächelns auf den purpurroten Lippen zu erkennen. Wer war sie und wieso war sie bei dieser Kälte draußen? Sie wirkte nicht, als würde sie zum Personal gehören. Wahrscheinlich war sie eine Bekannte der Hausherrin, die gerade erst angekommen war.

Das junge Mädchen schaute über die Rosenbeete hinweg. Dann wandte sie sich davon ab, ging quer über die Wiese und verschwand um eine Hausecke.

Idil entschied sich, hinauszugehen. Die Luft war kühl und frisch, die Wolken schienen greifbar nah und erstreckten sich bis zum Horizont. Ein wunderschöner Anblick, den man in der Stadt nicht kannte. Sie ging bis zu der Stelle, an der das Mädchen gestanden hatte. Allmählich ging sie um das Anwesen herum, ungeachtet der Tatsache, dass sie fröstelte.

Heute gab es keinen Nebel, sie hätte sich kilometerweit entfernen können und dennoch wäre das Haus in Sichtweite geblieben. Als sie um den Pavillon herumging, kam sie, neugierig, wie sie war, nicht umhin, durch einen Blick durch eine der schmutzigen Fensterscheiben zu werfen. Der Raum, in den sie schaute, war leer. Alles, was sie erblickte, waren die rissigen Bodendielen und schimmelige Wände. Die Fensterscheibe schräg gegenüber war eingeschlagen, überall am Boden lagen Splitter herum.

Idil lehnte sich zurück. Sie fand das alte Gemäuer schön. Sie hatte schon immer eine Vorliebe für alte, verlassene und verfallene Bauten gehabt. Manchmal dachte sie, dass es vielleicht daran lag, dass sie ein Fragment von sich selbst darin sah, andererseits faszinierten sie die Einsamkeit und Nostalgie, die an ihnen hafteten. Sie überlebten die schlimmsten Witterungen, erzählten von Menschen, die sie bewohnt und dann verlassen hatten, und standen immer noch, gebrochen, aber dennoch graziös. Idil drehte sich um und ging wieder zum Haus. Vielleicht interpretierte sie auch lediglich etwas hinein.

In der Nacht wurde sie wieder durch die Katze geweckt. Abermals ließ sie das Tier herein und in ihr Bett. Doch in einer Sache unterschied sich diese Nacht von der vorherigen: Sie wachte bald wieder auf. Eigentlich hatte sie vor dem Schlafengehen nicht viel trinken wollen, aber nun musste sie doch zur Toilette, die ihrem Zimmer gegenüberlag.

Sie schaltete die Nachttischlampe ein. Kitty lag auf dem Rücken, ihre angezogenen Vorderpfoten leicht in der Höhe.

Idil zog sich ihren weißen Nachtmantel an und ging auf bloßen Füßen zur Tür. Eine einzelne Wandleuchte erhellte den stillen Gang. Als sie die Toilettenkabine wieder verließ, drang ein leiderfülltes, lautes Wimmern vom Ende des Ganges, dort, wo das große Fenster war, an ihre Ohren. Je mehr sie sich dem Geräusch näherte, desto mehr erinnerte sie das Wimmern an den klagenden Ton, den sie in ihrer ersten Nacht hier gehört hatte. Inzwischen war sie sicher, dass es aus dem letzten Zimmer kam. Angst erfüllte sie, sie hatte Angst. Abgesehen von dem Wimmern war nichts zu hören, kein Ticken einer Uhr, keine Windbö, absolut nichts. Als sie vor der Tür stehen blieb, glaubte sie das Geräusch zu kennen. Es kam von einem Mann, den man geknebelt hatte. Als sie die knirschende Türklinke allmählich herunterdrückte, wurde aus dem Wimmern ein panisches Stöhnen.

Was sie in jenem Moment, in jener Nacht entdeckte, war erschreckender als alles, was sie bisher gesehen – oder geschrieben – hatte. Es war die bare Wirklichkeit, es war kein Traum, keine Geschichte. Das Licht im Zimmer war an, sie blickte in diese blutunterlaufenen Augen, die aussahen, aus würden sie jede Sekunde aus ihren Höhlen herausplatzen. Unzählige dünne weiße Fäden, die an Spinnenseide erinnerten, hielten Florian rücklings an der Wand, seine Füße befanden sich einige Zentimeter über dem Boden. Die

Fäden waren um seinen ganzen Körper gewebt wie bei einem Spinnennetz, lediglich sein Kopf war etwas frei, wobei ein Bündel der Fäden fest über seinen Mund gespannt war. Unweit neben ihm lag der abgetrennte Kopf seines Bruders auf dem blutüberströmten Boden. Rippen und Knochen lagen auf einem Haufen. Überall war Blut, es roch vehement nach Blut.

Florian stöhnte, so laut er konnte, bettelte, dass sie ihn befreien solle. In dem Augenblick, als sie, ohne zu zögern, loslaufen und ihn befreien wollte, vernahm sie ein dumpfes Geräusch. Im gelben Lichtschein der Wandlaterne neben ihrem Zimmer stand Frau Schwan, reglos, sie blickte Idil mit einem kalten Lächeln an, als freute sie sich über die zusätzliche Beute.

Idil rannte zurück ins Zimmer, hörte in ihrer Panik die nähernden Schritte nicht. Sie schloss die Tür ab, was viel schneller gegangen wäre, wenn ihre Hände nicht so stark gezittert hätten. Florian stöhnte schrecklich und weinte.

Sie blickte flüchtig aus dem Fenster. Der Boden lag bestimmt mindestens zwanzig Meter in der Tiefe, doch ungefähr fünf Meter unter ihr erhellte eine Laterne einen Balkon.

Das Fenster hatte einen Holzrahmen und eine dünne Klinke, und es ließ sich nicht öffnen, auch wenn sie es mit aller Kraft versuchte. In ihrer Angst bemerkte sie die eingeschlagenen Nägel an den Ecken nicht. Sie hetzte atemlos durch den Raum, ergriff einen Stuhl und schlug damit die Fensterscheibe ein.

Eine solche Kraft hätte sie sich niemals zugetraut, aber es ging ums Überleben. Florian hatte sie völlig aus ihren Gedanken verdrängt.

Als sie über die spitzen Glasscherben, die noch in den Fensterrahmen hingen, hinauskletterte, erschreckte sie ein vehementer Schlag gegen die Tür, sodass sie laut aufschrie und dachte, die Tür sei eingeschlagen worden. Sie war zu verängstigt, um zurückzublicken, und hing weiter am Fenstersims, bis sie einen flüchtigen Blick nach unten warf und sich seitlich fallen ließ. Sie landete hart auf ihrer rechten Hüfte. Als sie sich allmählich aufrichtete, hörte sie einen lauten Krach aus dem Zimmer. Als sie hinaufschaute, blickte sie in das Gesicht der Hausherrin, die sich weit hinausgelehnt hatte. Sie starrte sie genervt an.

Idil schleppte sich zur Balkontür, doch diese war verschlossen. Sie drückte mehrmals die Klinke, rüttelte daran, so kräftig sie nur konnte. In ihrer Verzweiflung weinte sie, blickte hinauf, die Frau war nirgends zu sehen. Was sollte sie jetzt tun? Sie konnte nicht hinunterspringen, sie konnte nicht wieder hinaufklettern. Sie wollte sich gegen die Tür werfen, doch sie war sich sicher, dass Frau Schwan bald hier auftauchen würde.

Sie schrie, so laut so konnte, um Hilfe, ihr verzweifelter Hilferuf verhallte in der Dunkelheit. Irgendjemand in diesem Anwesen musste sie einfach hören, jemand musste ihr doch helfen. Plötzlich spürte sie einen stechenden Schmerz in ihrem Nacken, im selben Moment versagte ihre Stimme. Ihre Sicht verschwamm, ein Hin und Her zwischen Gelbtönen und tiefem Schwarz spielte sich vor ihren Augen ab. Ihr letzter Gedanke war, dass sie es bereute, ihre schriftstellerischen Werke nicht vollendet zu haben. Welch ein Jammer, dass sie ihren letzten Atemzug tun sollte, ohne sie fertiggestellt zu haben.

Kapitel 5

Ein leichter Windstoß traf ihre Brust. Sie hatte das Gefühl, nach hinten zu fallen, als stünde sie blind und taub und ohne Kontrolle über ihren Körper auf einer Klippe. Sie glaubte zu fallen, und es ängstigte sie. Sie wollte weinen.

Ihre Lider flatterten, dann öffnete sie allmählich die Augen. Wieder hatte sie das Gefühl, zu fallen, dann richtete sie sich ruckartig auf. Sie saß auf dem Bett, auf ihrem Bett, in jenem Zimmer, das nun von klarem Tageslicht durchströmt war. Sie befand sich in jenem Anwesen, ihre Erinnerungen an gestern Nacht waren kristallklar.

Idil sprang vom Bett auf. Ihre Kleider lagen nach wie vor verstreut auf dem Boden. Als sie am Spiegel vorbeieilte, realisierte sie, dass sie ihren Nachtmantel anhatte. Ihr Herz pochte, sie lief ans Fenster. Draußen schien es ruhig und die Amseln zwitscherten. Sie vermutete, dass es Morgen war.

Sie musste von hier verschwinden. Völlig aufgewühlt suchte sie nach ihrem Handy, doch sie konnte das verdammte Teil einfach nicht finden. Sie zog sich Hose und Mantel über, schlüpfte in ihre Schuhe. Sie lehnte ein Ohr gegen die Tür. Als alles still blieb, öffnete sie so leise sie konnte die Tür.

Der Gang war leer.

Sie lief leise zur Treppe. Ein Dienstjunge trat aus der Küche. Er wünschte ihr einen guten Morgen und ging mit einem silbernen Tablett voller Gläser in Richtung Saal.

Idil atmete tief durch, sie rannte fast auf Zehenspitzen zum Durchgang, riss einen Flügel mit Wucht auf und lief über die Schwelle, nur um nach paar Schritten zu erstarren.

Einige Meter vor ihr standen drei Männer auf dem Pflasterweg und unterhielten sich. Der Mann, dessen lächelndes Gesicht sie sehen konnte, war Florian. Er bemerkte sie, war offensichtlich leicht überrascht von ihrem aschfahlen Gesicht und winkte ihr freundlich zu.

Auf wackligen Beinen ging sie zu ihm hin.

Florian entschuldigte sich und zog sich aus der Runde zurück. „Du siehst nicht gut aus, ist was passiert?”, fragte er sie besorgt, als er ihr entgegenkam.

Erschöpft blieb sie vor ihm stehen, musterte sein besorgtes Gesicht.

„Wo warst du gestern?", brach es stückweise aus ihr hervor. Sie sah aus, als würde sie jeden Moment zusammenbrechen.

Er wirkte verwirrt.

„Wo soll ich gewesen sein? Ich war hier."

„Heute Nacht? Ich hab dich gesehen, ich hab dich gesehen", widerholte sie und ihre Rede ging in ein Murmeln über. Der Wind blies ihr ihre roten Strähnen vors fahle Gesicht.

„Ich versteh´ dich nicht, Idil. Ich war im Bett."

Er betrachtete sie einen Moment, ehe er mit besorgtem Ausdruck feststellte: „Dir geht es nicht gut, ich bringe dich in dein Zimmer."

Er wollte sie ins Haus geleiten, doch sie riss sich von ihm los, torkelte ein paar Schritte zurück, fand schließlich Halt. Sie blickte ihm einen langen Moment in die Augen, die keine Tiefe hatten, ging schließlich an ihm vorbei und durch die Ligusterhecken. Ihre Bewegungen waren kraftlos, ihr Kopf leer. Nach einigen Minuten stand sie am Gittertor. Sie schob einen Flügel auf und ging einfach hindurch. Vor ihr erstreckte sich die Weite, die tiefhängenden Wolken wirkten bedrohlich. In der kalten Winterluft glaubte sie Gott zu spüren.

Als sie das Tor einige Meter hinter sich gelassen hatte, hörte sie ein Miauen.

Sie blickte zurück. Die Siamkatze saß elegant hinter den Gittern, blickte sie erwartungsvoll an. Idil sah über die Katze hinweg zum Anwesen. Sie schloss ihre Augen. Allmählich begann sie leise zu lachen, öffnete die Augen. Die Katze beobachtete sie.

Sie hatte stets ins Nirgendwo gewollt. Hier hatte sie es doch gefunden. Auch wenn sie den Verstand zu verlieren glaubte. Sie gluckste wie wahnsinnig, trat nach einem Moment den Rückweg an und nahm Kitty auf den Arm.

Als sie ihr Zimmer erreichte, brach sie in Tränen aus. Sie hatte solche Angst. Der Horror, den sie empfunden hatte, sie nicht los. Es war alles so real gewesen. So etwas konnte niemals ein Traum gewesen sein. Halluzinierte sie etwa? Nichts ergab mehr einen Sinn, nur die eine Ahnung, dass sie um ihren Verstand kam. Sie ging in ihr Zimmer, schloss die Tür nicht ab.

Am offenen Fenster schluchzte sie, trank den übrigen Whiskey aus. Kitty saß still vor ihr auf dem Sims, legte die Pfote immer wieder auf ihre Knie, als wollte sie sie trösten.

Am Abend hatten sich die Männer zurechtgemacht, intelligent klingende Dialoge auswendig gelernt. An jenem Abend war es laut im Wohnzimmer, die Bediensteten drängten sich mit Platten voller Champagnergläser durch die vielen Menschen.

Idil hatte sich in ihrem Zimmer verschanzt. Sie wollte die letzten Tage Ruhe hier noch genießen – es zumindest versuchen. Sie hatte unzählige Taschentücher verbraucht, die zusammengeknüllt überall auf dem Boden herumlagen.

Kitty war inzwischen gegangen.

Das Tor hat schwarze Gitter. Ihre Angst vor Gevatter Tod ist ihrer Sehnsucht nach ihm überlegen. Dieses Paradoxon macht sie wütend. Wieso fürchtet sie sich vor dem Tod, wenn das Leben keinen Sinn ergibt? Das Leben hat keinen Sinn, so ausgelutscht dies auch klingen mag. Das Leben hat keinen Sinn. Menschen von unzureichender Intelligenz haben jahrtausendelang über einen Sinn des Lebens philosophiert und alles Mögliche hineininterpretiert, denn die Wahrheit, dass dem Menschen kein bevorzugter Rang zugeteilt ist, scheint schwachen menschlichen Geschöpfen sehr bitter zu schmecken. Religion ist die toxische Frucht jener kognitiven Dissonanz.

Idil legte ihr Notizbuch mit dem Stift vor sich hin. Jemand klopfte sanft an die Tür. Sie blieb sitzen. Einmal mehr wurde geklopft, dann hörte es auf. Sie stieg vom Sims herunter, machte das Fenster zu, löschte das Licht und wollte unmittelbar ins Bett. Als sie den Kopf auf das Kissen legte, spürte sie ein schmerzhaftes Stechen im Nacken. Die Erinnerung schlug ein. Sie stand auf, schaltete das Licht wieder ein, bevor sie ihren Nacken vor dem bodentiefen Spiegel abtastete. Sie spürte eine kleine, mückenstichartige Schwellung, die bei Berührung wehtat.

Das junge Mädchen im Spiegel sackte mit fahlem Gesicht allmählich in die Knie.

„Der Akzent hier liegt auf dem gefühlsmäßig abrupten Ineinanderübergehen der Farben", erzählte der weiße Mann mit selbstbewusstem Blick.

Der schwarze Mann mit den langen verfilzten Haaren und den markanten Gesichtszügen schaute sich das Gemälde einen Moment lang an, dann wandte er sich fassungslos an den jungen Mann.

„Haben Sie mir gerade ernsthaft das Geschmiere eines wütenden Kindes vorgehalten?"

Der harsche Ton seiner Kritik schien auch die anderen Männer in der Runde einzuschüchtern.

Der junge Mann, dem das Gemälde gehörte, schien für einen Moment um Worte verlegen, dann bemerkte er leise: „Die Farben ... es geht hierbei um die Versprachlichung von Farben."

„Wirklich, Sie Genie?", erwiderte der andere zynisch, ehe er kopfschüttelnd einen Schritt zurücktrat. Er sah sich scharfsinnig um. Einige hatten ihre Werke auf die Kommode gestellt und sie dort gegen die Wand gelehnt oder aber sie trugen sie bei sich, um bei nächster Gelegenheit darüber dozieren zu können.

Nikolas Stein ging zu einem Buffet und schenkte sich Whiskey ein. Im Hintergrund spielte eine romantische Melodie. Er blickte auf, als eine attraktive Frau den Saal betrat. Das scharlachrote Haar war mit einer langen Haarnadel hochgesteckt. Ihre Haarfarbe war ihm als Erstes aufgefallen. Sie fiel überhaupt auf, diese aufreizende junge Frau im Smoking, die sich fast schon gleichgültig im Raum umschaute.

Ihre Blicke kreuzten sich. Er winkte ihr mit seinem Glas zu. Sie schien seine Geste zu ignorieren, kam auf das Buffet zu, und vielleicht bildete er es sich ein, doch es schien ihm, als ob sie traurige Augen hätte.

Sie griff nach einem leeren Glas, schenkte sich ebenfalls aus der Whiskeyflasche ein.

„Nikolas Stein", stellte er sich vor und reichte ihr die Hand.

„Oh, der Nikolas", bemerkte sie halbherzig und lächelte kraftlos. Er hatte so wenig Interesse nicht erwartet, doch es gefiel ihm, besonders nach all der Anbiederung und Vergötterung, die ihm heute begegnet waren.

„Und Sie sind wohl Kate Kane?"

Sie blickte ihn etwas überrascht an. „Sie lesen Comics?"

„Nur bestimmte." Er nahm ein paar Schlucke aus seinem Glas, ohne die Augen von ihr abzuwenden. Dann fragte er sie in gespielter Verwirrung: „Sind Sie etwa wirklich Kate Kane?"

Sie schmunzelte, doch ihr Blick wirkte nun verhangen, was vermutlich mit seiner Gegenwart zu tun hatte. „Idil Akdağ."

„Idil." Er sprach ihren Namen mit einer melodischen Betonung aus. „Ein wunderschöner Name."

„Stimmt", bestätigte sie und trank einen Schluck.

„Nun, ich möchte bemerken, dass Sie hinreißend aussehend."

Lächelnd schaute sie sich um, als würde sie nach jemandem suchen. „Ich weiß. Und Sie sehen auch gut aus."

„Danke."

Sein Blick, der nichts verriet, ruhte auf ihr. Er erzählte ihr seine heutigen Eindrücke über die Resultate künstlerischer Mühen.

"Interessieren Sie sich für Kunst?"

"Nicht wirklich."

"Kunst," sagte er und blickte in die goldgelbe Flüssigkeit zwischen seinen Fingern, "umgibt uns. Sie umgibt uns, sie ist ein lebendiger Wandel."

Idil nippte an ihrem Glas, dann sagte sie: "Kunst ist vielleicht das deutlichste Abbild des Menschlichen, deshalb wird sie so glorifiziert. Ich-"

Sie vollendete ihren Satz nicht und schaute sinnierend zu Boden.

Idils Augen fixierten sich plötzlich auf einen Punkt seitlich hinter Nikolas, der gerade zu einem Gespräch ansetzen wollte. Frau Schwan unterhielt sich in der Ecke mit einem jungen, gutaussehenden Mann.

„War schön, mit Ihnen getrunken zu haben, Wiedersehen”, sagte Idil in gleichgültigem Ton, ohne ihn auch nur eines Blickes zu würdigen. Sie ging quer durch den Saal auf die Gastgeberin zu. Die Kälte in ihren Augen war nicht zu übersehen, auch wenn ein Lächeln auf ihren Lippen hing.

„Schönen Abend.” Idil blieb zwischen den beiden stehen.

„Idil Akdağ, nicht wahr?”, fragte Frau Schwan.

Idil nickte. „Sie können mich Idil nennen”, sagte sie freundlich.

Einen Moment lang herrschte eine peinliche Stille. Dann bat Frau Schwan den jungen Mann: „Wären Sie so lieb, uns zwei Champagner zu bringen?” Als er sich entfernte, wandte sie sich ihrem Gegenüber zu.

„Amüsieren Sie sich, junge Dame?”

„Leider hatte ich heute Nacht einen schrecklichen Albtraum, der mich noch immer verfolgt.”

Die Gastgeberin lächelte nach wie vor, doch ihre Augen waren nicht freundlich. Idil versuchte, so ehrlich und ahnungslos wie nur möglich zu wirken, als sie weitersprach. „In diesem Traum blickte mich ein guter Freund in höchster Qual an. Ich habe den Tod gesehen. Und dann …" Sie pausierte, schüttelte dramatisch den Kopf, als fehlten ihr die Worte für das Grauen. „Und dann habe ich Sie gesehen, Frau Schwan. Ich kann gar nicht beschreiben, was für eine Angst Sie mir eingejagt haben."

„Nun, ab und zu träumen wir doch alle verrückte Sachen", entgegnete Frau Schwan und nippte an ihrem Weinglas. „Das Anwesen ist groß, es gibt viele verschlossene Türen und wir befinden uns abseits der Gesellschaft. Da kann die Fantasie schon mal mit einem durchgehen."

„Ja, Sie haben recht."

„Lassen Sie sich nicht von solchen Kleinigkeiten ablenken", bemerkte Frau Schwan und zeigte ein warmherziges Lächeln. Doch Idil sah ausschließlich Kälte in ihren Augen.

Sie nickte brav. Sie war sich sicher, dass sie im Moment etwas einfältig aussah. Es fiel ihr nicht schwer, harmlos und naiv zu wirken. Die Leute tendierten häufig dazu, sie zu unterschätzen. Doch genau dadurch wurden sie unachtsam.

„Und wie ich sehe, haben Sie Herrn Stein bereits kennengelernt." Frau Schwan blickte über ihre Schulter hinweg in Richtung des Buffets, das neben dem Durchgang aufgebaut war. Idil folgte ihrem Blick. Nikolas Stein schaute zu ihr herüber und hob sein Glas schwach in ihre Richtung.

„Herr Stein?", erkundigte sich Idil verwirrt.

„Der renommierte Maler Nikolas Stein."

„Oh, das ist er? Ich hatte seinen Namen vergessen, aber ja, ja, jetzt fällt es mir wieder ein. Ich vergesse immer alles."

Scheinheilig und mit halb verstecktem Spott im Unterton setzte Frau Schwan an: „Und wo kommen Sie her?"

Idil lächelte scheinbar arglos.

„Aus Wien."

„Oh", entgegnete sie spitz, „dann müssen Sie mit den Klenk-Brüdern gekommen sein."

Sie nickte.

„Ich war früher im ärztlichen Dienst in Wien tätig", bemerkte Frau Schwan und blickte nachdenklich in ihr Glas. „Ich muss zugeben, ich mochte die makabere Präsenz dieser Stadt."

„Wien ist halt wie der Gevatter Tod; es hat viele Leichen."

„Ein Grund, dort wegzugehen?" Die Gastgeberin nahm einen Schluck von der purpurroten Flüssigkeit.

Ein sprödes Lächeln stahl sich auf Idils Lippen. „Wenn das so einfach wäre."

Der junge Mann von vorhin kam mit zwei Glas Champagner zurück, doch Idil entschuldigte sich und ging wieder zum Buffet, wobei sie spürte, dass Nikolas´ Blick noch immer unverwandt auf ihr lag.

„Habe ich erwähnt, dass Sie hinreißend aussehen?"

Sie griente ihn selbstbewusst an, legte ihre Hand kurz auf seine Schulter und sagte scheinbar lieb: „Ja, und ihr Reißverschluss ist offen."

Sie ließ ihn ein wenig verdattert zurück, sah sich eine Weile mit scheinbarem Interesse um und gesellte sich dann zu einer der Männergruppen, interpretierte halbherzig ihre Gemälde. Doch nirgends stieß sie auf Florian oder dessen Bruder. Schließlich verließ sie den Saal und stieg die Treppe zum Korridor hinauf. Als sie fast oben angekommen war, hörte sie Frau Schwan unten ihren Namen rufen. Ohne die Augen von Idil abzuwenden, näherte sie sich der Treppe.

Langsam und doch ungeduldig kam sie auf sie zu, wie ein Raubtier, blieb dann einen kurzen Moment am Absatz stehen und sah zu ihr hoch. Die Kälte in ihrem Blick jagte Idil einen Schauer über den Rücken, ihr Herz pochte vor Aufregung, dennoch bemühte sie sich, sich nichts anmerken zu lassen.

Im nächsten Augenblick beschleunigte die Frau ihre Schritte, ihre Bewegungen wirkten geradezu animalisch. Idil bekam Angst, sie wollte instinktiv fliehen.

Als Frau Schwan nur noch einen Schritt von ihr entfernt war, sprang plötzlich Kitty auf das Treppengeländer und fauchte sie von oben laut an. Frau Schwan hielt abrupt inne, blickte die Katze verwirrt an.

Dann richteten sich ihre kalten Augen erneut auf Idil. Ein ziemlich fadenscheiniges Lächeln stahl sich auf ihre Lippen. Wortlos entfernte sie sich. Als sie im Saal verschwand, wäre Idil fast zusammengebrochen. Auf wackeligen Beinen stürmte sie in ihr Zimmer. Als sie die Tür abschließen wollte, hörte sie Kitty an der Tür kratzen. Sie öffnete noch einmal, um das Kätzchen hereinzulassen.

Sie trat vor den Spiegel, doch selbst ihr eigenes Abbild erschien ihr fremd. Alles um sie herum fühlte sich unwirklich an.

Die Katze miaute leise und markierte im Hintergrund die Kleidung, die Idil gleich darauf in den Koffer zu packen begann. Sie griff sich saubere Unterwäsche und ihren Nachtmantel und ging ins Badezimmer.

In der Nacht war ein schmutzig gelber, fast unnatürlicher Nebel aufgekommen, sodass man vom Fenster aus die Zaunhecke gerade noch erkennen konnte.

Mit leichtem Schnupfen wachte Idil auf. Sogleich nahm sie Nicole auf dem Sims wahr. Sie saß ihr zugewandt und las seelenruhig in ihrem Notizbuch.

„Wieso bist du hier?", fragte sie überrascht und verärgert zugleich, und bemerkte nebenbei, dass Nicole mit ihrem Nachtmantel bekleidet war.

Nicole sah nicht einmal auf.

„Makabre Szenen und eine morbide Gesellschaft. Typisch wienerisch."

Sie hatte es wieder getan. Sie hatte ihre Privatsphäre auf solch grausame Weise verletzt und sie ihrer Kontrolle beraubt. Durch ihre Willkür fühlte Idil sich dermaßen gedemütigt, dass sie am liebsten vor Wut geweint hätte. Sie ging auf das Fenster zu, riss der jungen Frau das Buch aus der Hand und warf es quer durch den Raum.

„Fahr zur Hölle!", schrie sie Nicole an, die sie aus bekümmerten Augen anblickte. „Du hast so einen verdorbenen Charakter", sagte Idil angewidert, und Nicoles ungerührte Art wühlte sie erst recht auf. „Ich bin hierhergekommen, weil ich etwas Erholung von der Stadt suchte, nicht damit irgendeine kranke Person in meinen privaten Sachen rumschnüffelt, ich hab's satt." Wütend ging sie zu ihrem Koffer, kramte ihre Geldbörse heraus, schmiss vier, fünf Hunderter in den Raum und begann sich schnell etwas überzuziehen.

Nicole hatte den Kopf schlaff auf die Seite gelegt, sie betrachtete Idil wortlos. Ihre dunklen Augenringe waren fast vollkommen verschwunden.

Als Idil ihren gepackten Koffer zur Tür trug, sagte Nicole in fast mitleidigem Ton: „Du bist so sonderbar."

Idil versuchte sie zu ignorieren, sie trat vor den Spiegel, um sich die Haare mit der Haarnadel hochzustecken. Im Spiegelbild sah sie Nicole allmählich vom Sims herunterklettern.

„Du hättest verschwinden sollen, ich hätte dich nicht aufgehalten."

Sie verstand nicht, was Nicole meinte, dennoch versuchte sie es zu überhören.

„Wieso bist du geblieben?”, fragte Nicole in einem Ton, als hielte sie Idil für eine arme Närrin.

Im Spiegelbild blickte Idil ihr verwirrt entgegen.

„Geh nicht”, fuhr Nicole fort.

„Warum willst du nicht, dass ich gehe? Du kennst mich doch gar nicht.” In Idils Worten lag eine Mischung aus Spott und Unverständnis.

Nicole schwieg, verließ daraufhin das Zimmer.

Was hatte sie davor gemeint? Idil wollte nicht daran denken. Sie war noch immer ziemlich aufgebracht. Für das, was Nicole getan hatte, gab es keine Entschuldigung. Als sie sich ins Badezimmer begab, um sich die Zähne zu putzen, war es fast still im Haus. Sie trug Mantel und Koffer nach unten. Immer noch war kein Laut zu hören.

Normalerweise drangen ein paar Männerstimmen aus dem Saal oder ein paar Bedienstete kamen mit dem Frühstück aus der Küche.

Es traf sie unerwartet, als sich die Tür, die tagsüber doch niemals verschlossen gewesen war, nicht öffnen ließ. Kein Schlüssel steckte im Schloss, sie sah zu den Kleiderhaken, an denen nun kein einziger Mantel hing.

Plötzlich hörte sie eine unfreundliche Stimme vom Treppenabsatz her: „Die Tür kannst du nicht öffnen.”

Idil sah Frau Schwan in einem purpurroten Kleid auf der obersten Stufe stehen, ihre Hand graziös auf das Treppengeländer gelegt. Allmählich kam sie herunter, doch sie wirkte nicht ansatzweise so bedrohlich wie am Vorabend.

„Als ich Sie das erste Mal hier gesehen habe, war ich nicht erfreut. Ich hätte nicht erwartet, dass meine Tochter sich für Sie interessieren würde."

Ein überraschtes „Was?" kam Idil über die Lippen.

„Möchten Sie von hier weg, Idil?" Frau Schwan blieb ein paar Stufen vor ihr stehen. „Haben Sie aus dem Fenster geschaut?"

Idil spürte, wie die Angst von ihr Besitz ergriff. „Wieso?", fragte sie heiser. Das erbarmungslose Antlitz ihres Gegenübers ließ sie erschauern.

Frau Schwan ging mit gleichgültiger Miene an ihr vorbei und in Richtung Salon. Idil folgte ihr langsam. Sie traten an eines der großen Rundbogenfenster im Saal. Was sie sah, ließ sie endgültig an eine Halluzination glauben. Spinnen von Armeslänge mit acht schwarzen Beinen und einem großen rot-schwarz gemusterten Hinterleib fraßen sich hungrig in die Eingeweide eines toten Mannes. Und es waren viele.

Idil torkelte rückwärts. Ihr wurde übel, sie spürte den heftigen Drang, sich zu übergeben. Ihre Hände zitterten. „Nein … nein, das ist a-alles nicht echt!", schluchzte sie, fasste sich an den Kopf, als wäre sie dem Wahnsinn verfallen. „Das gibt es nicht, so etwas kann nicht geschehen, das ist unmöglich! Ich drehe durch!"

Sie sackte auf ihre Knie, wimmerte mit zusammengekniffenen Augen, riss sich Haare vom Kopf.

Kapitel 6

Ein schwaches Klopfen. Idil saß mit angezogenen Beinen auf dem Bett und starrte nachdenklich vor sich hin. Auf dem Nachttisch stand ein Tablett mit ihrem unberührten Frühstück. Sie nieste, schnäuzte sich, dann wurde wieder an die Tür geklopft. Nicole trat ins Zimmer, schloss leise die Tür hinter sich und fragte mit fürsorglicher Stimme: „Wie fühlst du dich?"

Idil würdigte sie keines Blickes. Seit sie am Vortag einen Blick auf das Unaussprechliche geworfen hatte, hatte sie keine Minute geschlafen – was man ihr auch ansehen konnte.

Vorsichtig trat Nicole an ihr Bett.

„Du musst nichts befürchten. Meine Mutter würde dir niemals wehtun."

„Warum? Warum beschützt du mich?"

Nicole setzte sich mit viel Abstand auf den Bettrand, schwieg einen Moment lang, während sie zum Fenster sah.

„Ich habe immer Schwierigkeiten mit dem Schlafen, seit ich gegen die Gräueltaten meiner Mutter rebelliert habe. Besonders im Winter", bemerkte sie.

Idil schwieg und blickte sie fragend an.

„Im Winter legt Mutter ihre Eier. Einen Monat später kommen die Jungen zur Welt. Die weiblichen

Spinnen fressen ihre männlichen Geschwister. Das ganze Personal in diesem Haus ist halb Spinne und halb Mensch, sie alle gehören zu Mutters Nachwuchs. Die meisten von ihnen können aber auch die Gestalt anderer Menschen annehmen – wenn auch nicht für lange Zeit. Der Florian, den du an jenem Morgen gesehen hast, war nicht der echte."

Idil hatte dies bereits geahnt, und sie wusste auch, dass er tot war. Sie versuchte nicht daran zu denken, in Sekundenschnelle verdrängte sie alles, was ihn betraf.

„Bist du auch …?"

„Nein", unterbrach Nicole sie laut und blickte sie offen an. „Mutter und ich sind nicht blutsverwandt."

Idil nickte verstehend und gleichzeitig verwirrt. „Ich versteh´s nicht, ist deine Mutter wirklich eine ...?"

Nicole blickte wehmütig zur Wand. „Halbspinne", ergänzte sie und begann zu erzählen: „So fantastisch dies auch klingen mag, es gibt Menschen auf dieser Welt, die die Gestalt eines anderen Lebewesens annehmen kö…"

„Ja, ganz fantastisch. Es ist fantastisch. Es ist völlig, komplett, ganz und gar fantastisch. Es ist jenseits der Naturgesetze."

„Physik kann ja auch nicht alles erklären."

„Das Warum kann sie nicht immer erklären, aber das Wie schon", konterte Idil.

Nicole atmete tief durch. Dann bemerkte sie: „Manche Legenden behaupten, es sei ein Gottesgeschenk, manche Buddhisten meinen, es sei ein seltener Nebeneffekt der Reinkarnation. Unsere Zahl ist fast nicht existent."

„Unsere?"

Nicole grinste sie vielsagend an. Ihre Mundwinkel sanken jedoch schnell wieder herab, und sie rollte die Augen, als Idil fast ungläubig fragte: „Und in was kannst du dich verwandeln?"

Im nächsten Augenblick war Nicole verschwunden. Mit großen Augen starrte Idil an den Ort, wo sie eben noch gesessen hatte und wo jetzt nur noch ihre Kleidung lag. Sie brachte kein Wort heraus, sah sich ungläubig nach allen Seiten um.

Hinter dem Bett kam Kitty hervor und hüpfte auf die Matratze. Idil dämmerte es allmählich.

Kitty miaute und kam auf sie zu, rieb den Kopf an ihrem Bauch.

Idil zwickte sich, dann verpasste sie sich eine Ohrfeige. Dergleichen hatte sie heute unzählige Male unternommen. Das Gefühl der Unwirklichkeit überkam sie wieder. Einmal mehr glaubte sie, den Verstand verloren zu haben, einem Wahn verfallen zu sein. Sie kniff die Augen fest zusammen, redete sich gedanklich pausenlos ein, dass das alles nicht wirklich passierte.

Sie spürte die Pfoten der Katze gegen ihren Bauch trommeln, doch auch das war nicht real.

„Es tut mir leid." Nicole hatte wieder ihre menschliche Gestalt angenommen. Sie war splitternackt und sie drängte sich so dicht an Idil, dass ihre Körper sich berührten. Nach einer Weile lagen sie still nebeneinander, starrten vor sich hin. Idil schloss die Augen.

„Kennst du den Ameisenigel?"

Idil blickte verwirrt auf. „Nein."

„Ameisenigel sind Monotremata. Sie sind eierlegende Säugetiere, deren Existenz heute bedroht ist. Ende des neunzehnten Jahrhunderts fand man heraus, auf welche Weise sie sich fortpflanzen, und es sprengte alle biologischen Erkenntnisse, denn bis dahin hatte man Lebewesen in zwei Kategorien unterteilt."

„Wow. Quasi der Heisenberg der Biologie."

Nicole nickte.

Einmal mehr wollte sich eine anheimelnde Stille zwischen ihnen breitmachen. Doch Idil folgte Nicoles Blick und begann zu erzählen: „Die Fore-Menschen in Papua-Neuguinea aßen früher ihre Verstorbenen. Besser im Magen seiner Mitmenschen als in der Erde, dachten sie sich. Sie haben die Gehirne aus den Schädeln genommen und gekocht. Viele wurden danach krank und starben. Als ich davon erfuhr, dachte ich tagelang darüber nach, wie es wohl wäre, meinen Lehrer aufzuschlitzen und seine Organe zu zerhacken; essen wollte ich sie allerdings nicht."

„Gruselig."

„Vielleicht."

„Was war die beste oder die schlimmste Entscheidung deines Lebens?"

Nicoles Fragen wirkten wie ein Versuch, ihr die Nervosität und Angst zu nehmen, ihr ein wenig Normalität zu geben.

Sie zuckte mit den Schultern. „Ich weiß nicht. Deine?"

"Ich hatte mit zweiundzwanzig eine Abtreibung. Ich war immer pillenfrei. Sex hatte ich nur mit Kondom, und irgendwann war es passiert."

Bevor Nicole ihren Satz zu Ende sprach, schwieg sie einen bedrückenden Moment lang und blickte sie unglücklich an. „Obwohl es nicht hätte passieren dürfen."

Sie pausierte, ehe sie weitersprach: „Trotz all meiner Zweifel war die Abtreibung die beste Entscheidung, die ich für mein Leben getroffen habe."

Idil erschloss sich nicht, weshalb diese Frau trotz ihrer offensichtlichen Abneigung noch immer in diesem Anwesen lebte. Wie war sie unter diesen Umständen aufgewachsen, was hatte sie gefühlt? Idil hatte tausend Fragen, doch sie schwieg. Nicole schien ihre Gedanken gelesen zu haben und lächelte ihr traurig zu.

„Mein Verhalten gestern tut mir leid. Dass ich dein geistiges Eigentum angefasst habe, verdient keine Vergebung."

„Stimmt", entgegnete Idil bestimmt. Sie spürte, dass die Wut noch nicht ganz verraucht war. „Das war unverzeihlich."

Nicole schaute wieder nach vorne, während Idil die Augen schloss. Sie verfing sich in den gemeinsamen Momenten mit der Katze, dachte an den Morgen, an dem sie das Anwesen kurz hinter sich gelassen hatte. Mit verletzlicher Miene wandte sie sich Nicole zu. „Werde ich hier gefangen gehalten?", fragte sie leise.

Nicole blickte sie an, als wäre sie töricht. „Was denkst du?", fragte sie und sah ihr so eindringlich in die Augen, dass sie für einen Moment innehielt. Sie wandte sich Idil zu, legte eine Hand an ihre fahle Wange. Idil spürte die Wärme ihrer Hand, wurde allmählich von einem Drang, sich hinzugeben, übermannt.

„Ich ...", flüsterte sie und brach ihren Satz ab, als ihr Gegenüber sich leicht zu ihr hinüberlehnte, als hätte sie vor, sie zu küssen. Idil schloss allmählich die

Augen, doch ihre Lippen waren im nächsten Moment noch unberührt, stattdessen spürte sie einen warmen Atemzug an ihrem Ohr. „Würdest du bleiben, wenn ich dir sagte, dass du jederzeit gehen kannst?", flüsterte Nicole und lehnte sich allmählich wieder zurück. Idil glaubte Trauer von ihrem Gesicht abzulesen.

„Iss etwas." Mit diesem leisen Satz stand Nicole auf, hob ihre Kleidung auf und ging aus dem Zimmer. Als Idil allein war, ging sie zum Fenster. Der Nebel hatte sich größtenteils aufgelöst, sie entdeckte keine Spur von den Riesenspinnen. Sie verließ leise das Zimmer. Im Gang glaubte sie für einen Moment, in einem verlassenen Geisterhaus zu sein. Sie ging zur letzten Tür, hinter der sie den größten Horror ihres Lebens erlebt hatte, und sie war überrascht, wie leicht es ihr fiel, die Tür zu öffnen. Alles wirkte normal und geordnet, als wäre hier nicht etwas Unaussprechliches geschehen.

Sie ging langsam durchs Zimmer, knapp vor dem renovierten Fenster knirschte eine Diele, was sie leicht erschreckte. Sie strich mit den Fingerkuppen über die Wand, berührte die Stelle, an der sie Florian gefunden hatte. Er war immer so nett zu ihr gewesen, sehr wahrscheinlich hatte er Gefühle für sie gehegt. Idil verdrängte die Erinnerungen. Erinnerungen waren unnütz. Vielleicht war er tot, ja und? Er war tot und das war's.

Sie verließ das Zimmer. Aus dem Zimmer gegenüber trat der alte Mann, der sie am Tag ihrer Ankunft in Empfang genommen hatte, hervor. Als er sie bemerkte, verneigte er sich leicht und ging dann die Treppe hinunter. Sie öffnete die Ausgangstür, warf einen Blick in den ruhigen Garten. Sie konnte das Anwesen einfach verlassen. Tatsächlich war es nicht nötig, sie gefangen zu halten, stellte sie doch mitnichten eine Bedrohung dar. Unaussprechliches blieb unaussprechlich, und versuchte man, darüber zu reden, landete man in einem noch engeren Käfig.

Sie ging durch eine Tür in der Eingangshalle, die unmittelbar in die Bibliothek führte.

Hier hoffte sie ein wenig zur Ruhe zu kommen, als sie ein Einfall packte. Sie verließ die Bibliothek und ging schnellen Schrittes die Treppe wieder hinauf, bevor sie an Nicoles Zimmer klopfte.

Nach einem Moment öffnete Nicole die Tür, angezogen und sichtlich überrascht, sie zu sehen. Das dünne Buch, das sie in der Hand hielt, legte sie neben sich auf den Bettrand und widmete Idil ihre Aufmerksamkeit.

Idil näherte sich ihr, doch sie schien ihrem Blick auszuweichen. Mit einigem Abstand blieb sie vor Nicole stehen.

„Du hast mir immer noch keine Antwort gegeben", sagte sie.

Nicole blickte Idil interessiert an. „Auf welche Frage?"

Idil blickte ihr in die Augen. „Aus welchem Grund beschützt du mich?"

Das Ticken der Uhr an der Wand war im nächsten Moment das einzige Geräusch, das sie vernahm, dabei blickte ihr Gegenüber sie mit undurchschaubarer Miene an.

„Ich fühle eine gewisse Gebundenheit zu dir. Dein Geruch, deine Stimme, wie du atmest." Nicole machte eine Pause und blickte ihr tief in die Augen. „Deine Wärme."

Idil wusste nicht, was sie entgegnen sollte. Was für eine Antwort hatte sie denn erwartet?

„Als ich dich das erste Mal gesehen habe …" Nicoles Satz brach ab, bevor sie in nach wie vor besonnenem Ton hinzufügte: „Deine arroganten Augen, die vor Melancholie strotzen, und die Marotte, dich der Kälte auszusetzen, als fändest du darin Erlösung. Genauso wie die Tatsache, dass du noch hier bist." Sie stand allmählich auf. „Ich kenne die Menschen. Sie laufen weg. Wieso bist du noch hier?"

Idil hielt inne. Sie brach den Blickkontakt ab, und erst nach einigen Sekunden der Stille entgegnete sie: „Ich bin auch weggerannt." Sie ließ ihren Blick langsam umherschweifen. „Bevor ich herkam, hatte ich mit einer neuen Geschichte angefangen. Die Geschehnisse hier im Haus haben mich inspiriert. Ich möchte hierbleiben und weiterschreiben."

Nicole blickte sie einen Moment lang still an, dann sagte sie: „Ich kann deine Angst förmlich spüren."

Idil wich ihrem Blick aus und verließ das Zimmer.

Der Schlaf wollte einfach nicht kommen. Seit Stunden spürte sie einen leichten Druck im unteren Rücken. Ihre treueste Freundin, die Menstruation, musste eingetroffen sein. Am Morgen würden heftige Schmerzen hinzukommen. Sie hatte keine Schmerztabletten dabei, aber sie würde Nicole oder jemanden vom Personal danach fragen.

Es war mitten in der Nacht, als Idil sich mit Whiskey, Notizbuch und Stift an den Küchentisch setzte. Diesmal ließ sie das Fenster zu.

Wie unterschied sie sich von den Menschen in der Stadt? Diese genossen es, in der Menge unterzutauchen, während sie die Einsamkeit suchte.

Idil schenkte sich ein Glas Whiskey ein, nahm mehrere Schlucke. Sie wippte mit einem Fuß, was in der Nachtstille ein unheimliches Geräusch verursachte. Nachdem Stunden vergangen waren, stand sie auf und ging mit ihrem Glas in den Saal. Sie machte das Licht an und blickte zum Fenster, an dem sie die Riesenspinnen zum ersten Mal gesehen hatte, fragte sich, ob es am Alkohol lag, dass sie so gefasst war. Als sie ziellos den Raum durchquerte, hörte sie ein dumpfes Geräusch, so leise, dass sie kurz stehen blieb und lauschte. Es ähnelte einem hektischen Rütteln und kam, wie sie allmählich feststellte, aus der Tiefe.

Sie stellte ihr Glas auf dem Tisch ab, ehe sie in die Knie ging und ein Ohr auf die Dielen legte. Es war still. Dann erklang ein lautes Wimmern von der Art, wie sie es in diesem Haus schon einmal gehört hatte.

Idil lehnte sich beängstigt zurück, leerte ihr Glas und blieb eine Weile nachdenklich sitzen. Schließlich stand sie auf und ging aus dem Saal. Zwischen den Säulen und dem Saaldurchgang befanden sich zwei einander gegenüberliegende Holztüren. Zumindest eine davon würde vielleicht in den Keller zu führen. Die erste war verschlossen, sie ging zu der anderen hinüber. Die ließ sich öffnen und Idil blickte auf eine von gelben Wandleuchten schwach erhellte Kellertreppe mit rauen Steinstufen, die mindestens zehn Meter steil in die Tiefe führte und ganz unten rechtwinkelig abbog. Die Decke war marode, an den Wänden war der meiste Putz bereits abgebröckelt. Die Luft war schwül und ein grässlicher Gestank stieg von unten herauf.

Idil machte einen Schritt, schaute nach links und rechts, doch sie sah keinen Lichtschalter. Langsam betrat sie die Treppe und erstarrte, als sie aus einer Ecke ein schleimiges Geräusch vernahm. Es klang langsam ab, dann wurde es wieder lauter. Idil ging schnell zurück, ohne den Blick vom Treppenende zu nehmen; im selben Moment trat etwas Schwarzes aus der Ecke hervor, das sie an ein Spinnenbein erinnerte.

Es hatte Klauen wie Zangen. Ehe sie es sich versah, wurde auch der Rest sichtbar, eine schwarze Spinne mit dunkelrot gemustertem Unterleib und doppelt so groß wie die Spinnen, die sie an jenem Morgen im Garten menschliches Fleisch hatte fressen sehen. Die Spinne kam mit einer solchen Geschwindigkeit auf sie zu, dass es ihr gerade noch gelang, sich rechtzeitig in Sicherheit zu bringen und die Tür wieder zu schließen. Sie unterdrückte einen Schrei, als eine unmenschliche Kraft die Tür erzittern ließ. Das Holz splitterte unter der Wucht. Idil stürzte in den Saal, während hinter ihr das Holz barst. Sie hetzte ins Esszimmer und schloss die Tür ab, bevor die Spinne sie erreichen konnte. Das Biest schlug heftig gegen die Tür, und Idil sah sich panisch in der Dunkelheit um. Sie eilte zu einem der niedrig liegenden Fenster, durch das das schwache Licht einer Außenwandleuchte hereindrang, riss einen Flügel auf, kletterte auf den Sims und wollte auf die Wiese springen, doch da glaubte sie Nicoles Stimme hinter der Tür zu hören. Sie hörte, wie sie das Biest mit zorniger Stimme anbrüllte und ihm klarmachte, dass es Idil in Ruhe lassen und verschwinden solle. Daraufhin entfernten sich schwere Schritte von der Tür.

Ein Gefühl der Erleichterung überkam sie, auch wenn ihr das Herz noch immer bis zum Hals schlug. Einen Moment lang war es bis auf ihre zittrigen Atemzüge still geworden, sie stieg vom Fensterbrett herunter und lauschte.

„Idil, ich bin´s, sie ist weg."

Idil ließ sich auf die Knie fallen, die nun, da die Gefahr gebannt schien, plötzlich schwach geworden waren.

„Ich bin vor der Tür, okay?", sagte Nicole in besorgtem Ton und fügte etwas leiser hinzu: „Ich bin hier, wann immer du rauskommen magst."

Es dauerte mindestens eine Stunde, bis Idil sich halbwegs beruhigt hatte. Ihr Gesicht war noch immer aschfahl. Inzwischen dämmerte bereits der Morgen. Auf wackeligen Beinen stand sie auf und ging zur Tür, vor der sie lange stehen blieb, ehe sie unsicher aufschloss. Ein Streifen gelbes Licht fiel in den halbdunklen Raum.

Enttäuschung machte sich in ihr breit, als sie Nicole zunächst nicht sah. Dann trat diese hinter dem anderen Türflügel hervor, und im selben Augenblick verspürte Idil ein warmes, unbezähmbares Gefühl, wie ein schwelendes Feuer, sodass sie Nicole um den Hals fiel und in Tränen ausbrach.

Nachdem Nicole sie aus dem Saal begleitet hatte, sah sie dicke Holzsplitter auf den Dielen herumliegen. Zwei Bedienstete bauten eine neue, massive Tür ein.

In Nicoles Zimmer legte sich Idil ins Bett und griff nach der Hand der jungen Frau, als diese den Vorhang schließen wollte. Nicole betrachtete sie einen Moment, legte sich dann zu ihr, umarmte sie und gab ihr ein Gefühl der Geborgenheit.

„Was war das?", hauchte Idil in ihre Halsbeuge.

„Eine der Töchter von Mutter. Sie ist aber anders als die anderen. Sie ist schon immer ziemlich aggressiv gewesen und behält ihre menschliche Form nur selten, und als sie dann eine ihrer Schwestern getötet hat, musste Mutter sie in den Keller einsperren. Sie war angekettet, sie muss sich irgendwie befreit haben. Normalerweise ist sie aber ruhig, ich weiß nicht, was in sie gefahren ist."

„Ich hab' Geräusche gehört ... unter dem Boden. Ich wollte nachsehen", flüsterte Idil und wartete auf eine erklärende Antwort, doch Nicole schwieg.

„Was ist da unten?", hakte sie nach.

„Nichts, was du sehen willst."

„Ich will es sehen."

Nicole blickte sie verständnislos an. „Du zitterst immer noch."

Stille kehrte ein. Nicole strich ihr sanft über den Rücken.

Der Morgen darauf verlief ruhig. Der Esstisch wirkte karg, nun, da keiner der anderen Gäste mehr anwesend war. Nicole und Idil saßen rechts und links von Frau Schwan, die ihr blondes Haar heute offen trug. Immerhin wirkte sie heute nicht mehr so steif in ihren Bewegungen. So unauffällig Idil die Frau auch gemustert hatte, diese hatte ihren Blick bemerkt.

„Mein Mädchen, willst du mir etwas sagen?", fragte sie mit sanfter Stimme, in der wie immer ein Hauch Arroganz mitschwang. Auch Nicole sah auf.

„Nein, tut mir leid, ich war unhöflich."

Frau Schwans schwaches Lächeln wirkte angespannt, doch ehe sie sich wieder ihrem Teller zuwandte, bemerkte Idil: „Sie sehen heute besonders schön aus."

Die Frau sah sie an, als hätte sie diese Bemerkung nicht erwartet, doch sie schien sich auch darüber zu freuen. Idil und Nicole tauschten spontan einen kurzen Blick aus, bevor sie weiteraßen.

Kapitel 7

Die Tage vergingen, es wurde kälter und begann zu schneien. Idil saß die meiste Zeit auf dem Fenstersims oder beschäftigte sich an Nicoles Schreibtisch mit ihrer Schreibarbeit.

In diesem Anwesen geschahen Dinge, die jegliche Güte und Barmherzigkeit vermissen ließen. Da stand sie, konnte zurück in ihr altes Leben, in die Routine ihrer Gepflogenheiten, in das Laute und die Beschränktheit. Ihre Beine waren schwach vor Angst, ihr Verstand verarbeitete noch die Grausamkeit des letzten Abends, die Wirklichkeit schwankte. Hatte sie den Verstand verloren?

Sie machte die Tür zu. Nun, da ihr das Schicksal der anderen erspart geblieben war – oder sie das zumindest glaubt –, wollte sie bis an die Grenzen ihres Verstandes gehen, um zu sehen, ob sie wirklich der Mensch war, für den sie sich hielt. Oder hatte sie vielleicht wirklich ihren Verstand verloren, doch wenn dem so war, dann würde sie nicht danach suchen. Sie hatte etwas Heimat in der Dunkelheit dieser Atmosphäre gefunden.

Am späten Abend, als sie ihr Notizbuch zuklappte, dachte sie, dass sie sich bei Gelegenheit eine Brille anschaffen sollte. Sie blickte zur Seite. Nicole war eingeschlafen.

Nicole hatte von Anfang an nicht gewollt, dass sie zum Schreiben das Zimmer verließ, und darauf bestanden, dass sie sich nicht gestört fühlte und Idils Anwesenheit, ganz im Gegenteil, Balsam für sie sei. Es war offensichtlich, dass sie sich einsam fühlte. Ihr ganzes bisheriges Leben hatte sie in diesem Haus verbracht, allein, resigniert, schlaflos, nur aus Loyalität zu ihrer Mutter. Sie hatte ihr eigenes Leben weggeworfen, jedes Moralgefühl in sich abgetötet und erduldete ewige Finsternis – aus einer morbiden Gebundenheit an ihre Mutter.

Es mochte erbärmlich klingen, doch Idils Ansicht nach war es blanke Torheit. Nur wer war sie schon, über Nicoles Leben zu urteilen? Sie stand auf, ging zum Fenster, wollte es öffnen, doch stattdessen blickte sie in die Nacht. Sie war eben nicht allein.

Seit sie in Nicoles Zimmer arbeitete und fast immer bis tief in die Nacht beschäftigt war, schlief sie auch in ihrem Bett. Nicole war diejenige gewesen, die das vorgeschlagen hatte. Natürlich hatte sie nicht den geringsten Einwand gehabt.

Sie kam aus dem Badezimmer zurück, zog sich um und legte sich ins Bett, da wälzte sich Nicole auf ihre Seite und wollte ihr nahe sein. Idil fand sie süß. In den Nächten zuvor hatte sie herausgefunden, dass sie sehr anschmiegsam war, Wärme wollte, Kälte nicht leiden konnte. Und auch wenn sie versuchte, es zu verbergen, war es erkennbar, dass sie nach Berührungen, Zärtlichkeit und Liebe lechzte. Kein Wunder.

In letzter Zeit fragte sie sich, von welcher Natur diese neu begonnene Beziehung war. Sie flirteten ab und an, manchmal waren sie wie Freundinnen und in der Nacht schliefen sie im selben Bett.

Es war Morgen geworden. Die dünnte Schneeschicht knirschte unter Nikolas Steins Schritten. Er rauchte eine Zigarette und blickte nachdenklich in die Ferne. Die meisten Fahrzeuge hatte er aus der Zufahrt entfernt. Ein schwarzer Geländewagen mit einem Reifen am Heck und ein roter Mini-Cooper standen noch. Er würde sie noch in die Garage fahren, dann wäre alles erledigt, was Mutter ihm aufgetragen hatte.

Schritte näherten sich vom Anwesen her. Aus dem Augenwinkel wusste er sogleich, wer sich da näherte.

„Kate Kane", sagte er, blickte sie fast erfreut an. „Wie ich sehe, sind Sie immer noch hier? Normalerweise laufen die Menschen vor uns weg, wenn sie hinter die Maskerade kommen."

Idil grinste frech, blickte zum Horizont, vergrub die Hände in ihren Taschen.

„Aber ich freue mich, Sie zu sehen." Er meinte es ehrlich. Er registrierte ihren abwesenden Blick und fragte sich, was in ihrem Kopf vorging. „Sie sehen blass aus."

Idil sah ihn etwas perplex an. „Kann sein, ich konnte nicht gut schlafen." Sie hob die Hand und wandte sich in Richtung Haus, dann blieb sie mit dem Rücken zu ihm gewandt stehen und hielt kurz inne, als sei ihr noch etwas eingefallen. Schließlich kam sie noch einmal zu ihm zurück.

„Da ist etwas, das ich eigentlich gerne wissen würde."

„Ja?"

„Nachts, wenn ich im Saal bin, höre ich Geräusche unter dem Boden", sagte sie und blickte ihn erwartungsvoll an.

Er leckte sich über die Lippe, schaute eine Weile vor sich hin und fragte: „Wieso interessiert Sie das?"

Als sie nichts entgegnete, sagte er: „Dort unten sind die Keller. In einem davon legt Mutter ihre Eier."

Ihr Gesichtsausdruck verriet, dass sie mehr erwartet hatte. Vielleicht Blut. Er verstand nicht, weshalb sie sich mit diesen Dingen beschäftigte und am liebsten noch mehr von all dem Grauen sehen wollte. Was für eine törichte, exzentrische Frau. Vielleicht ähnelten sie einander auf eine gewisse Weise?

„Als wir uns das erste Mal begegnet sind, wollte ich Sie auf einen Tanz einladen", sagte er in einem Ton, der seine Intention erahnen ließ.

Sie schien irritiert. „Dann bin ich Ihnen einen Tanz schuldig."

Er grinste keck. „Die linke Tür im Durchgang zum Saal."

„Der war zugeschlossen."

„Mutter mag es nicht, wenn jemand dort herumschnüffelt, also sollten Sie nicht daran denken, mehr als einmal nach unten zu gehen. Sie sollten sie lieber auch nicht fragen. Den Schlüssel bewahrt sie in einer der unteren Schubladen in ihrem Arbeitszimmer auf." Er lachte sie scheinheilig an. „Nicht, dass sie jetzt dort herumlungern."

Daraufhin nickte sie und ging zurück zum Haus. Er folgte ihr noch eine Weile mit den Augen, ehe er sich auf etwas anderes konzentrierte.

Idil betrat seufzend das Zimmer und warf ihren Mantel auf das Bett. Nicole war nicht hier, sie hatte gesagt, sie wolle sich in der Küche eine Zwischenmahlzeit holen.

Sie öffnete den großen Kleiderschrank. Nicole bevorzugte offensichtlich matte Farben, besonders Fliederfarben, und besaß einige dezente Kleider. Idil wühlte herum, ihre eigenen Sachen waren in der Waschmaschine. Sie entschied sich nicht umzuziehen, auch wenn sie ihre Kleidung schon seit zwei Tagen trug.

Sie ließ sich rücklings aufs Bett fallen und fragte sich, was sie heute Abend vorfinden würde. Wie sahen die Eier aus? Dieses Wimmern war vielleicht menschlichen Ursprungs – vielleicht hatte die Hausherrin ein paar der Gäste als Vorrat im Keller aufbewahrt? Hatte sie sprichwörtlich eine Leiche im Keller? Ihr Herz schlug schnell vor Aufregung. So wie die meisten Menschen hatte auch sie Angst vor Kellern, doch gleichzeitig faszinierte sie die Enge und auch die Vorstellung, welche Schmerzensschreie dort unten ungehört verhallen würden. Hätte sie den Schlüssel, sie könnte über Leben und Tod entscheiden.

Im nächsten Moment trat Nicole mit einem kleinen Teller Schokoladenkuchen ins Zimmer. Sie lächelte ihr kokett zu.

Nicole stellte den Teller auf den Schreibtisch und legte sich zu ihr. Sie sahen sich eine Weile stillschweigend an. Zwei Fremde, die einander doch nicht fremd waren.

Als Idil den Blick von ihr löste, berührte Nicole sie an der Wange. In diesen dunklen Augen lag etwas, dem sie sich hingeben wollte. Doch Idil richtete sich auf und schlug vor, in die Bibliothek zu gehen.

Es was beinahe still im ganzen Haus. Die Hausherrin war in ihrem Büro und die Bediensteten hatten ihr Tagwerk vollbracht. Fahles Tageslicht drang durch die Sprossenfenster herein.

Fast im Minutentakt vernahm sie das Umblättern einer Buchseite seitlich hinter sich. Sie seufzte und legte das alte Buch zurück, das sie betrachtet hatte. Nach einer schnellen Umdrehung fiel ihr das dicke Buch mit dem grauen Lederumschlag auf, das Nicole in der Hand hielt.

Nicole bemerkte ihren Blick und zeigte ihr den Umschlag. „Tiere sind die besseren Menschen."

Idil überlegte einen Moment lang, ehe sie entgegnete: „Tiere sind Tiere, Menschen sind Menschen."

Sie kehrte Nicole, die ihre Aussage augenscheinlich nicht vollends begriffen hatte, den Rücken zu und ging gemächlich zum Fenster. „Als ich klein war, habe ich ein paarmal Ameisen zertreten. Einfach weil ich es konnte. Und … irgendetwas entfesselte in mir den Drang, eine weitere Ameise zu zerdrücken – und dann noch eine. Ich fühlte ein Gefühl der Überlegenheit, das mich mit jeder toten Ameise mehr und mehr überkam."

Idil stand jetzt nah am Fenster, sie wandte sich im fahlen Licht zu Nicole um, ohne ihr in die Augen zu sehen, sie schien vollkommen in die Vergangenheit abgetaucht zu sein.

In der Nacht stahl Idil sich leise aus dem Zimmer. Nicole war dagegen, dass sie in den Keller ging, deshalb hatte sie ihr nicht von ihrem Plan erzählt, ins Büro ihrer Mutter einzudringen. Nur ein paar der Wandleuchten leuchteten, sodass es in dem langen Gang ziemlich dämmrig war. Im linken Gebäudetrakt drückte sie die Klinke herunter. Ihre Hand tastete neben dem Türrahmen nach einem Lichtschalter. Endlich wurde es hell im Zimmer. Leise machte sie die Tür wieder zu und sah sich flüchtig um; sie hatte das Gefühl, dass die getäfelten Wände sie einengten. Sie ging zum großen Schreibtisch auf einer Seite des Zimmers. Es gab mehrere unterste Schubladen, die sie leise öffnete. Eine war abgeschlossen, doch das war nicht von Belang, da sie gleich darauf auf einen gewaltigen Schlüsselbund stieß. Idil verdrehte die Augen. Wie lange würde es dauern, bis sie den richtigen Schlüssel gefunden hatte? Sie rechnete mit mindestens fünfzehn Versuchen.

Von der Tür her näherten sich dumpfe Schritte.

Idil machte rasch das Licht aus und stellte sich auf die andere Seite der Tür. Wieder erklangen die Schritte, dann öffnete jemand die Tür. Wer immer es auch war, er schaltete zwar das Licht ein, kam aber nicht herein.

Sie hielt die Schlüssel fest in ihren Händen, damit auch nichts klirrte und atmete geräuschlos auf, als der Lichtschalter erneut gedrückt und die Tür geschlossen wurde. Als sich die Schritte entfernten und es wieder still wurde, verließ sie leise das Zimmer.

Als sie unten war, probierte die Schlüssel nacheinander aus. Nach einer Weile fand sie schließlich den richtigen und betrat den Keller.

Idil ging langsam die Treppe hinunter, die Tür hatte sie hinter sich offen gelassen. Fast geräuschlos betrat sie die ersten Stufen, da glaubte sie ein klägliches Stöhnen zu hören. Sie bog um die Ecke. Eine weitere Treppe, halb so lang wie die erste, folgte und mündete in einem unbeleuchteten Raum. Das Stöhnen war lauter geworden. Da drinnen war jemand. Würde er sie angreifen? Sie hielt inne.

Aus dem Stöhnen wurde ein gepresstes Schluchzen. Es klang nicht bedrohlich, also traute sie sich die erste Stufe hinab. Immer weiter tauchte sie in die Dunkelheit ein, jederzeit bereit, wieder nach oben zu rennen. Allmählich nahm sie einen widerlichen Gestank wahr, der aus der Dunkelheit hervordrang, er erinnerte an faule Eier und gleichzeitig an Blut. Sie schluckte, ihr Herz pochte und ihr wurde übel, als sie auf der letzten Stufe ankam.

Das leise Schluchzen hielt an. Dann ging es in ein Wimmern über.

Idil griff um die Ecke und tastete die Wand nach einem Lichtschalter ab. Erst beim zweiten Versuch hatte sie Glück. Eine einzelne Glühbirne, die an einem Kabel von der Mitte der Decke ging, flammte auf. Idil erkannte raue Ziegelwände und einen geschwärzten Boden. Der Raum musste größer als vierzig Quadratmeter sein.

Das Wimmern und Stöhnen nahmen mit einem Mal zu.

An einer der Wände hingen sechs nackte Männer; ihre Füße berührten nicht den Boden, und in Höhe ihres Unterbauchs waren klebrig wirkende Knäuel aus weißen Spinnfäden von der Größe eines Fußballs angebracht.

Idil blickte in Georgs blutunterlaufende Augen. Mehr als ein Stöhnen brachte er nicht hervor, da ein weißes Bündel seinen Mund fest verschloss.

Sie stand wie gelähmt. Ihr Blick wanderte zur anderen Wandseite, die mit einer roten Flüssigkeit bespritzt war. Davor lagen mehrere große Haufen menschlicher Kadaver, aus denen Rippen und andere Knochen herausragten.

Georg weinte laut, er stöhnte und versuchte sich zu bewegen, um sie auf sich aufmerksam zu machen. Idil blickte ihn wieder an, ihre Augen waren geweitet, ihr Körper wie gelähmt.

Jetzt verstand sie. Hier waren die Eier, festgeklebt an den Körpern dieser Männer, und wenn die Spinnen schlüpften, fraßen sie sie auf.

Georg stöhnte und wimmerte kläglich, doch sie stand da wie erstarrt. Dann drehte sie sich zur Seite und verließ den Keller. Sie schloss mit schlotternder Hand die Tür ab und brachte die Schlüssel zurück.

Leise legte sie sich ins Bett.

Am nächsten Tag saß sie stundenlang am Schreibtisch, doch die meiste Zeit über starrte sie auf die leere weiße Seite. Kein Satz wollte sich formen, nur hier und da erstanden Fragmente von dem, was sie in der Nacht gesehen hatte, vor ihrem inneren Auge.

Als Nicole ihr am Nachmittag eine Tasse Tee ins Zimmer brachte, stand sie ans offene Fenster gelehnt und schreckte auf.

„Alles in Ordnung?“, fragte Nicole und stellte die Tasse weit neben dem Notizbuch ab. Idil nickte etwas perplex.

„Mach das Fenster zu, es ist eiskalt.”

Kapitel 8

Sie lag mit dem Kopf in Nicoles Schoß und spürte ihre Hand, die ihr sanft durchs Haar strich. Sie starrte mit leeren Augen vor sich hin. Etwas hatte sich ihrer bemächtigt, und dieses Etwas tat weh, jeder Atemzug, jede Sekunde engte sie ein, als wäre sie eine Gefangene in ihrem eigenen Leib.

Helles Tageslicht durchströmte ihr Zimmer.

Sie schluchzte auf, hielt sich die Hände vors Gesicht. Nicole tröstete sie, streichelte sie, doch alles wirkte vergeblich. Schließlich schnäuzte sie sich, legte sich wortlos ins Bett und verschwand fast gänzlich unter die Decke.

Nach nicht ganz einer Stunde richtete sie sich auf und verließ das Zimmer. Sie fühlte eine angenehme Taubheit, doch zur gleichen Zeit eine Leere in ihrem Magen. In der Küche traf sie auf Nicole, die sie ansah, als hätte sie ihr Erscheinen nicht erwartet. Sie stand neben der Köchin, der Frau, die sie am Tag ihrer Herfahrt mit Florian und ihren Bruder zum Anwesen begleitet hatte. Es hatte sich herausgestellt, dass sie ebenfalls eine Gestaltwandlerin war und nur sichergestellt hatte, dass die Gäste – oder vielmehr die Beute – das Anwesen auch fanden.

„Ich habe die Köchin gebeten, dir eine Tomatensuppe zu machen.“ Nicole war auf sie zugekommen, legte die Hand an ihre Wange, ehe sie mit besorgtem Blick hinzufügte: „Geht es dir besser?"

Idil bejahte. Immerhin konnte sie wieder frei durchatmen.

Sie setzten sich an den Küchentisch. Die Köchin wies Nicole an, die Suppe hin und wieder umzurühren und erklärte ihr, in fünf Minuten sei das Essen fertig. Als sie allein waren, fragte Nicole: „Was ist passiert? Hat meine Mutter irgendetwas gesagt?"

Idil blickte träge zum Fenster. Sie hätte es gern geöffnet.

„Ich weiß nicht", antwortete sie leise.

Nicole war sichtlich besorgt. „Ich dachte schon, du hast einen Nervenzusammenbruch."

„Mir geht's gut", flüsterte Idil, sie spürte Nicoles besorgten Blick auf sich ruhen, dann stand diese auf und ging zum Herd. Als sie wieder zurückkam, erhob sich Idil und verließ mit den Worten „Ich geh´ frische Luft schnappen" die Küche. Nicole sah ihr nachdenklich hinterher.

Es schneite ein wenig. Sie schaute in die Weite, ihre Augen vom Weinen noch leicht gerötet. Heute veranstaltete die Hausherrin eine Soirée, Gäste wurden erwartet. Alles was sie über diese Leute wusste, war, dass sie rigoros rechts und gleichzeitig religiös waren.

Nazis, dachte sie.

Später klopfte sie an die Tür des Arbeitszimmers der Hausherrin. Als die sie mit kaltem Ton hereinbat, betrat sie das Zimmer.

Die Frau saß an ihrem Schreibtisch und blickte sie mit heuchlerischem Lächeln an. „Oh, Idil. Setzen Sie sich doch."

Sie setzte sich auf einen der Stühle und versuchte die Anspannung, die sie beim Anblick dieser Frau überkam, zu überspielen.

„Ich hoffe, Sie amüsieren sich?"

An ihren Augen konnte Idil ganz genau erkennen, dass sie nicht die Wahrheit sagte. Inzwischen versuchte ihr Gegenüber nicht mehr, ihr etwas vorzumachen.

Sie bejahte und versuchte mit dem starren Blick mitzuhalten.

„Ich möchte heute Abend dabei sein, wenn Sie die Gäste empfangen."

„Wenn Sie das wünschen."

Einen Moment lang fiel kein Wort mehr. Idil wich dem herausfordernden Blick ihres Gegenübers schließlich aus.

„Als ich Sie das erste Mal hier sah, war ich nicht erfreut."

„Hab ich gemerkt", entgegnete Idil leise.

„Wissen Sie, warum?"

„Weil Sie nicht auf Frauen stehen?" Den ironischen Ton hatte sie sich nicht verkneifen können, doch sie bereute es gleich darauf.

„Hauptsächlich." Frau Schwan machte eine kurze Sprechpause, ehe sie in nach wie vor sanftem und zugleich bestimmtem Ton hinzufügte: „Männer sind physisch stärker, aber in allem anderen sind sie den Frauen unterlegen."

Sie stand langsam auf. Während sie bedächtig um den Tisch herumging, ohne die Augen von Idil abzuwenden, erzählte sie: „Eine weitere Diskrepanz zwischen den beiden Geschlechtern liegt in der Erziehung begründet. Das ständige intensive Bewusstsein für das eigene Umfeld wird den Mädchen von klein auf eingetrichtert. Immer wachsam bleiben – Frauen sind Meisterinnen darin. Verrückt, nicht wahr? Wie töricht die Menschen doch sind."

Sie blieb hinter dem Stuhl seitlich von Idil stehen, klammerte sich beidhändig an dessen Lehne.

„Aber Sie, Idil, Sie sind mir eine ganz Eigenartige." Etwas leiser und mit der Andeutung eines Lächelns fuhr sie fort: „Oder nicht bei Verstand."

Idil glaubte dem penetranten Blick dieser Frau nicht länger standhalten zu können, sie stand auf, bedankte sich für ihre Zeit und verließ das Zimmer. Sie fühlte sich von einer schauerlichen Kälte übermannt, als wäre diese Frau aus Eis.

Sie holte sich aus der Küche eine Flasche Whiskey und ein Glas, ging in ihr Zimmer und setzte sich bei weit geöffnetem Fenster an den Schreibtisch. Ihre Schreibblockade war weg, sie schrieb und schrieb stundenlang.

Als es dämmerte, trat Nicole ins Zimmer.

„Du hast seit Stunden nichts gegessen."

Sie legte den Stift beiseite und klappte ihr Notizbuch zu. „Wann kommen die Gäste?", fragte sie und stand auf.

„Sollten bald hier sein."

Nicole sah ihr in besorgt hinterher, als sie zum Kleiderschrank ging. „Wir sollten gar nicht runtergehen."

Mit einem Lachen, das an Wahnsinn grenzte, fragte Idil: „Warum nicht?"

Als Nicole etwas erwidern wollte, war von der Zufahrt her ein Knirschen zu hören. Sie ging zum Fenster, schob den Vorhang zur Seite und blickte hinaus. Draußen leuchteten mehrere Scheinwerfer auf. Als sie entdeckte, dass Idil im Begriff war, sich umzuziehen, fiel ein Schatten über ihr Gesicht.

Die Lichter der Kronleuchter glitzerten wie Diamanten. Der alte, kahlköpfige Mann gegenüber legte beim Reden ein solch übersteigertes Selbstbewusstsein an den Tag, dass es sie anwiderte. Die mollige

Frau mittleren Alters mit dem blonden, streng hochgesteckten Haar neben ihm, mischte sich in grobem Dialekt in das Gespräch ein: „I bitte Sie, Herr Klowein, di Linken mi ihra dramhappad mochen olles hinich."

Idil nippte mit trägem Blick an ihrem Glas.

Ein anderer, jüngerer Mann meinte: „Das Gegenteil. Österreich wird von der neuen Regierung abgesandelt. Mit einer nach rechts neigenden Politik dient sie den Wohlhabenden, begünstigt die Kluft zwischen Arm und Reich, baut den Sozialstaat ab und dreht unter anderem Initiativen für Frauen den Hahn ab."

„Was spricht dagegen, die Grenzen abzudichten?", fragte der Mann mit der Glatze irritiert.

Als der junge Mann antworten wollten, schnitt ihm die Frau das Wort ab: „Nix! Di howan scho genua von diesn schiachen Wesn in unsa schönes Bodn g´lossen! Geh´ i of di Gossn, frog´ i mi, wo me Heimat is? Vua zehn Joahrn goabs disn Abschom net!"

„Bitte Deutsch sprechen, Frau Berger", bat ein anderer.

Frau Berger verzog die Miene.

Idil ließ ihren Blick spontan durch den Raum schweifen. Sie bemerkte Nikolas, der mit einem Glas am Buffet stand, stand auf und ging quer durch den Raum auf ihn zu. Siebzehn Gäste waren anwesend, die Lautstärke schien immer mehr anzuschwellen.

„Kate Kane,", sagte Nikolas fast erfreut, als er sie wahrnahm. „Ich weiß ja nicht, ob Sie schon wieder die Welt gerettet haben, aber meinen Abend haben Sie gerettet."

Schmunzelnd schüttelte sie den Kopf und lehnte sich an den Tisch. „Anscheinend gefällt es Ihnen, mich so zu nennen."

Er grinste.

Sie gab es nur ungern zu, doch sie hatte leichten Gefallen daran gefunden, dass er sie so nannte.

„Wie geht es Ihnen?"

„Ging mir schon mal besser."

Er hob sein Glas und prostete ihr zu. „Dann auf bessere Zeiten."

Nachdem sie einen ordentlichen Schluck genommen hatte, fragte sie ihn: „Herr Stein, es ist ziemlich ... nebelig."

Er blickte sie lange an.

Sie sah ihm in die Augen. „Sind Sie Teil der Familie?"

„Vielleicht." Er nippte mit einem undeutbaren Blick an seinem Glas.

„Und wieso sind Sie hier?", fragte er sie.

Ein Lächeln stahl sich auf ihre Lippen. Vielleicht waren sie sich ja ähnlich. Sie zuckte fast unmerklich zusammen, als ein Mann ein paar Meter hinter ihr plötzlich laut zu lachen anfing. Sie nahm einen weiteren Schluck, schenkte sich noch etwas Whiskey ein und zog sich zurück. Der Geräuschpegel war weiter angestiegen, inzwischen fand sie die Lautstärke fast unerträglich. Nachdem sie den Saal verlassen hatte, blieb sie einen Moment vor der linken Kellertüre stehen. Jedes Mal, wenn sie hier vorbeiging, erinnerte sie sich daran, was sie in jener Nacht gesehen hatte. Es fühlte sich erdrückend an und Schuldgefühle keimten auf, die sie unterdrückte – indem sie sich mühsam auf andere Gedanken brachte.

Nicole hatte sich früh ins Bett gelegt, doch sie schlief nicht, sondern wälzte sich unruhig herum.

Wortlos und entkräftet zog Idil sich die Schuhe aus und glitt neben ihr ins Bett.

Über Nacht hatte es fast durchgehend geschneit, sodass der nächste Morgen in Weiß erstrahlte. Idil kam nicht umhin, sich vorzustellen, wie sie mit einer Tasse Kaffee auf dem Fenstersims saß und in die stille Weite blickte.

Sie zog den Vorhang zurück und setzte sich in die Nische. Eine lange Zeit betrachtete sie die herabtänzelnden Schneeflocken. Sie liebte den Winter, besonders wenn es schneite. Doch in der Stadt mischte sich nur allzu oft der Schmutz der Straßen unter den Schnee, und dieser Schmutz erinnerte sie wiederum an die Menschen.

Wäre sie alleine im Zimmer gewesen, hätte sie beide Fensterflügel weit geöffnet. Sie nahm sich vor, einen langen Spaziergang zu machen.

„Morgen", hörte sie Nicole in ihre Richtung nuscheln.

„Schön geschlafen?", fragte Idil zärtlich. Die Frage war irgendwie zur Gewohnheit geworden, da Nicole von ihrer Schlaflosigkeit geheilt zu sein schien, seit sie zusammen in einem Bett schliefen.

Nicole nickte; sie lag bäuchlings auf dem Bett und betrachtete die schneebedeckte Landschaft. „Das ist das erste Mal", sagte sie nach einigen Minuten der anheimelnden Ruhe. „Das erste Mal, dass ich den Schnee mag."

Ihre Blicke trafen sich. Idil lächelte zurück, erfreut und überwältigt zugleich. „Was gibt's zum Frühstück? Für ´ne Tafel Bitterschokolade würd´ ich grad alles geben."

Sie gingen Hand in Hand die Treppe hinunter, und es mochte merkwürdig wirken, doch Nicole, die zuerst nach ihrer Hand gegriffen hatte, schien es mehr als zu gefallen, daher sagte Idil nichts.

„Ich weiß nicht, ob wir Schokolade haben", antwortete sie jetzt. Die Gäste hatten sich bereits an den Esstisch gesetzt und warteten offensichtlich auf die Hausherrin. Einer der Männer stand auf und wollte Nicole den Stuhl zurückziehen, doch zu Nicoles

Freude verscheuchte Idil ihn und legte ihrerseits Hand an. Die Gäste blickten aufmerksam zu ihnen hinüber.

Idil hätte den Tisch am liebsten umgeworfen. Sie hatte diese widerlichen Blicke so satt. Zur Hölle sollten die fahren. Nicole musste ihr den Verdruss von Gesicht abgelesen haben, denn sie legte ihre Hand beschwichtigend auf Idils.

Nach dem Frühstück ließen sie das Anwesen so weit hinter sich, dass es kaum noch zu sehen war. Hier draußen umgab sie so viel Weiß, dass die Augen sich erst daran gewöhnen mussten.

„Der Winter ist mir noch nie so schön vorgekommen wie jetzt."

„Meinetwegen?", fragte Idil dümmlich, obwohl sie die Antwort kannte.

„Deinetwegen." Nicole lächelte inbrünstig. Hand in Hand kehrten sie wieder zurück.

„Es ist so merkwürdig", bemerkte sie und schüttelte ungläubig lächelnd den Kopf, „bei dir habe ich wieder gelernt zu schlafen. Seit Jahren konnte ich nicht gut schlafen, manchmal war ich tagelang wach, ich nahm Schlaftabletten. Ich hatte Albträume, ich hasste die Nacht. Ich stand am Fenster, als ich dich zum ersten Mal sah, dort im Garten mit deinen tiefroten Haaren, du hattest mir den Rücken zugewandt und ich dachte, du seist verrückt. „Hat sie einen Todeswunsch?", dachte ich. Dann verspürte ich den Drang, dich zu retten, obwohl du so eine arrogante und forsche Haltung hattest, als könntest du der Kälte problemlos trotzen. Und dann, als ich zu dir ging, warst du tatsächlich etwas arrogant, aber du warst auch offen und ungehemmt."

Die ganze Zeit über hing ein zartes Lächeln auf ihren Lippen. Sie blickte Idil liebevoll an und fügte hinzu: „Die Nacht mit dir zu teilen, war das Schönste, was mir seit sehr langer Zeit passiert ist."

„Spricht da Kitty aus dir? Ich hab die Süße vermisst."

Nicole schüttelte lächelnd den Kopf. Daraufhin ließ Idil ihre Hand los, entfernte sich ein Stück und formte einen Schneeball, den sie in Nicoles Richtung schleuderte. Die wich lachend aus und warf ihrerseits einen Schneeball nach Idil.

„Hey!" Als sie nicht traf, nahm Nicole lachend die Verfolgung auf. „Komm her, du Zwerg!"

Kapitel 10

Die Klinge war spitz. Es war ein Küchenmesser. Sie beäugte es einen langen Moment, fuhr mit ihrer Fingerkuppe langsam über die blank geschliffene Schneide. Dann legte sie es zurück in die Schublade. Eine Axt wäre besser gewesen. Sie hatte irgendwo eine gesehen, konnte sich aber nicht mehr erinnern, wo das gewesen war.

Sie schenkte sich Whiskey ein, nahm einen großen Schluck aus dem Glas. Ein Dienstjunge betrat den Raum, hob die Hand zum Gruß und wollte seiner Arbeit nachgehen, doch da fragte sie ihn nach der Axt.

Er blickte sie überrascht an. „Eine Axt?"

Sie nickte selbstbestimmt.

„In der Holzkammer sollte es eine geben."

„Und die Kammer?"

„Liegt auf der Rückseite des Hauses. Sie können von außen hinein, die Tür sollte nicht abgeschlossen sein."

Sie entgegnete nichts, nippte noch einmal an ihrem Glas und verließ die Küche.

Die Kammer war klein, keine fünf Quadratmeter, die fast vollständig von eng aufgeschichteten Holzscheiten vereinnahmt wurden. Zwei identische Holzäxte lehnten an der Wand. Sie hatten einen roten Stielknauf, einen geschwärzten Kopf, einen festen Stiel. Sie waren schwer, doch sie würde sich daran gewöhnen. Auch wenn die Äxte sicherlich oft zum Einsatz gekommen waren, war die Schneide bei beiden wie neu. Sie war scharf und gerade, als hätte man sie erst vor Kurzem geschliffen.

Idils Herz schlug schnell. Mit einer der Äxte verließ sie die Kammer.

Mit jedem Schritt versank sie im Schnee. Seit Tagen hatte es heftig geschneit, doch heute hatte es nachgelassen. In der Eingangshalle wechselte sie in ihre Hausschuhe, um den Schnee nicht mit hereinzubringen.

Sie brachte die Axt in das Gästezimmer, in dem sie vorher übernachtet hatte. Als sie die Tür zumachte, begegnete sie Nicole, die gerade aus dem Badezimmer trat.

„Hey, du Schöne", sagte Idil, „Ich hab' dich vermisst."

Nicole schmunzelte und zog sie in ihre Arme. „Schön zu wissen, dass du mich schon nach zehn Minuten vermisst."

Nach ein paar Stunden setzte die Dämmerung ein. Beim Abendessen fehlten vier der Gäste. Frau Berger, die Idil gegenübersaß, wunderte sich laut über diesen Umstand. Keiner der anderen Gäste würdigte sie eines

Blickes, denn inzwischen hatten mehrere ihrer Aussagen den anderen verraten, dass sie die Einstellung der Nationalsozialisten teilte.

Frau Schöndörfer, die ihre Finger unter dem Kinn verschränkt hatte, entgegnete besonnen und mit dem ihr eigentümlichen bigotten Lächeln: „Sie sind heimgefahren."

„Was, alle vier?", fragte ein junger Mann.

„Ja, alle vier."

Frau Berger sah sich verwundert um und begegnete dabei dem Blick ihres Gegenübers. Mit ihrem unergründlichen Lächeln gelang es Idil, die Frau zu verwirren. Es fühlte sich gut an, aufregender als alles, was sie bisher erlebt hatte. Zu wissen, dass man über Leben und Tod entscheiden konnte, dass sie Frau Berger nichts von dem Schicksal erzählte, das sie hier ereilen würde und dem sie nicht entkommen konnte, erfüllte sie mit einem Gefühl der Überlegenheit. Sie war die Jägerin und Frau Berger die Gejagte. Sie wollte mit ihr spielen, sie einschüchtern, sie grell aufschreien hören.

Es gab Menschen auf dieser Welt, die niemals hätten geboren werden dürfen, die immer Abschaum bleiben würden, die man jagen und ausbluten lassen und an deren Leid man sich ergötzen konnte, so glaubte Idil. Diese Vorstellung war aufregend. Frau Berger gehörte zu diesen Menschen, genau wie ein paar andere der Gäste.

Als es nach Mitternacht wurde, sich eine gespenstische Stille über das Anwesen senkte, verließ Idil, so leise es ging, das Zimmer. Sie holte die Axt und stand kurz darauf vor der Tür zu Frau Bergers Zimmer, das sich im selben Gebäudeflügel befand.

Ihr Herz schlug schneller. Sie kämpfte mit widerstreitenden Gefühlen. Eine seltsame Unwirklichkeit bemächtigte sich ihrer. Sie schloss die Augen. Sie tat diesem Abschaum eigentlich einen großen Gefallen – sie ersparte ihr den grausamsten Tod, den ein Mensch erleiden konnte. Wieso wollte sie es dann tun? Sie töten? ja, sie empfand Hass. Aus Hass wurde grenzenlose Wut. Hier, in diesem Haus gab es keine Gesetze.

Sie betrat das Zimmer. Ihre Augen hatten sich halbwegs an die Dunkelheit gewöhnt. Sie fand die Nachttischlampe und machte sie an.

Frau Berger lag seitlich auf dem Bett. Idil dachte nicht weiter nach, bewegte sich instinktiv, denn sie wusste, sonst könnte sie es nicht durchziehen. Sie holte mit der Axt weit aus, und wollte damit in die Halsbeuge der Schlafenden schlagen. Doch plötzlich hielt sie inne. Ihre Arme sanken allmählich herab. Sie lief aus dem Zimmer und brach lautlos in Tränen aus. Sie registrierte nicht, dass Frau Schwan aus ihrem Arbeitszimmer heraustrat und sie bemerkte. Idil sank auf den Boden, die Axt hielt sie mit beiden Händen fest umschlossen. Tränen rannen ihr über die fahlen Wangen, sie schluchzte, so leise sie konnte.

Erst als Frau Schwan direkt neben ihr stand, bemerkte sie sie und sah zu ihr auf.

„Was ist passiert?", fragte die Hausherrin überrascht.

„I-ich", stotterte Idil im Flüsterton, „Ich wolltewollte Frau Be-Berger … töten"

„Oh." Frau Schwan ging dicht vor Idil in die Hocke, lächelte sie scheinbar verständnisvoll an. „Aber deshalb musst du doch nicht weinen, meine Liebe", sagte sie sanft und nahm ihr die Axt ab, dann verschwand sie damit in Frau Bergers Zimmer. Keine zwei Minuten später trat sie wieder auf den Flur hinaus. Ihr weißes Nachtkleid war blutbefleckt, die Axt trug sie nicht mehr bei sich. Dieser Anblick erschreckte Idil, die Realität schien sie mit einem unbarmherzigen Schlag eingeholt zu haben.

Frau Schwan winkte sie heran. „Komm, hilf mir, sie in den Keller zu tragen."

Mit schlotternden Beinen raffte sich Idil auf. Sie schniefte und folgte ihr in das Zimmer. Auf dem großen Bett war eine Blutpfütze. Frau Bergers Augen waren geschlossen, ihre Haare lagen wirr um ihr regloses Gesicht, das zur Decke gerichtet war.

Die Hausherrin packte die übergewichtige Frau an den Fußgelenken, sie war überraschend kräftig, auch wenn sie einen filigranen Körperbau hatte. Sie wartete, bis Idil sich zum Kopf der Leiche bewegt hatte. Unter dem eindringlichen Blick der Hausherrin packte sie die Handgelenke, und mit aller Kraft hoben sie sie vom Bett herunter. Auf halber Strecke zur Tür verließ Idil plötzlich alle Kraft, die Leiche entglitt ihr und schlug mit dem Kopf auf dem Boden auf. Sie packte jedoch wieder an und versuchte ihre Schluchzer zu unterdrücken. Als sie vor der rechten Kellertüre angekommen waren, entfernte sich die Hausherrin, um den Schlüssel zu holen. Idil blickte ihr nach. Frau Schwan wirkte so besonnen und kühl, beinahe erhaben.

Sie schaute auf ihre eigenen Hände, die zitterten. Wie gelähmt stand sie da. Nach einigen Sekunden kam Frau Schwan wieder zurück und schloss auf. Sie trugen die Leiche hinunter in den grässlichen Gestank. Von unten drang ein schrilles Geräusch zu ihnen herauf, ebenso gewichtige Schritte und ein mechanisches Klirren, das an Intensität zunahm.

Idil folgte Frau Schwans Anweisung, und gemeinsam schleuderten sie den toten Körper in die Dunkelheit. Daraufhin verließen sie den Keller. Eine Blutpfütze hatte sich vor der Tür gebildet. Die Hausherrin schien dies keineswegs zu stören. Sie ging die Treppe hinauf und Idil folgte ihr wie paralysiert. Kurz darauf saßen sie in Frau Schwans Arbeitszimmer.

„Wieso wollten Sie sie töten, Idil?”, fragte Frau Schwan und musterte sie mit amüsiertem Blick. Idil starrte mit roten Augen vor sich hin, ihre Hände zitterten nach wie vor.

„Dachten Sie, dass jemand wie sie nicht leben sollte? Aber der Tod hätte sie auch so ereilt. Oder wollten Sie einfach wissen, wie es sich anfühlt, jemanden zu töten?"

Frau Schwans Stimme hallte in ihrem Kopf wider. Idil raufte sich die Haare. Was für ein Mensch war aus ihr geworden? Beinahe hätte sie einen Mord begangen, aber hatte sie das nicht bereits getan?

„Menschen bildeten eine Hierarchie der unterschiedlichen Spezies, setzten sich selbst an die Spitze und bestimmen, was man als Mord bezeichnen darf und was nicht. So sprechen zum Beispiel Männer auch heute noch bei einer Abtreibung von „Mord", um Frauen ihrer Autonomie zu berauben, und dabei wissen wir doch alle, könnten Männer schwanger werden, an jeder Ecke würden kostenlose Abtreibung angeboten." Frau Schwan neigte sich leicht nach vorne und Idil betrachtete ihre kalten Augen.

„Sind die Handlungen eines Schlachters, der tagein tagaus in Blutpfützen watet, den Tod spielt, zum Tod selbst wird, moralisch weniger verwerflich als meine?"

Die Hausherrin streichelte Idil zärtlich die Wange und sagte: „Jeder Mensch ist ein Mörder, Liebes."

Daraufhin stand sie auf, ging um den Schreibtisch herum und griff in eine Schublade. Sie holte eine kleine Schatulle aus dunklem Holz hervor. Auf dem Deckel waren orientalische Eingravierungen zu sehen. Sie öffnete das Kästchen und hielt es Idil bedächtig hin.

„Was ist das?”, fragte diese mit heiserer Stimme.

Frau Schwan lächelte freundlich. „Das, meine Liebe, ist der Tod.”

Kapitel 11

Am nächsten Morgen stand Idil in der Küche und sah mit leeren, vom Weinen geschwollenen Augen aus dem geschlossenen Fenster. Sie ging zur Theke, holte aus ihrer Hosentasche ein klein gefaltetes Taschentuch, entfaltete es und schaute auf die pillengroße, weiße Kugel, die darauf lag. Im nächsten Moment ließ sie sie in ein Glas Wasser fallen. Sie stellte das Glas wieder zu den anderen auf das silberne Tablett und bemerkte dabei in Richtung der Köchin: „Das reichen Sie dem alten Furz, dem mit der Glatze.”

Die Frau nickte.

Während dem Frühstück blickte Idil ein paar Mal zu dem glatzköpfigen Mann hinüber, der ihr schräg gegenübersaß Als die Ersten bereits mit Essen fertig waren, erklang plötzlich ein kehliges Geräusch. Der kahlköpfige Mann hatte sich an den Hals gefasst und rang nach Luft, als hätte man ihm die Kehle zugeschnürt. Er sprang auf, sein Stuhl fiel um. Die anderen Gäste waren aufgestanden und versuchten ihm zu helfen, einer reichte ihm ein Glas Wasser, doch er stürzte mit weit aufgerissenen Augen zu Boden und erlag bald seinem Todeskampf.

Nicole warf ihrer Mutter einen irritierten Blick zu, doch die gab sich ahnungslos. Nicole schaute zu ihrer Sitznachbarin hinüber, sah, wie diese Blicke mit ihrer Mutter austauschte.

Als sie wieder in ihrem Zimmer waren, schlug Nicole die Tür zu.

„Was hast du getan?" Sie schrie fast.

„Was meinst du?"

Nicole fuhr sich wütend durchs Haar. „Du hast den Mann umgebracht!"

„Nein, nicht ich, die Tablette war´s", entgegnete Idil scheinbar locker und erntete einen verständnislosen Blick.

Nicole antwortete etwas leiser, aber umso bestimmter: „Du entscheidest nicht darüber, wer den Tod verdient hat."

„Dieser Kerl hat ein Blog geführt, in dem er Vergewaltigung in der Ehe legitimiert. Er war zweimal verheiratet. Du kannst dir vorstellen, was er für ein Mensch ist. Du weißt genauso gut wie ich, dass Abschaum wie er niemals hätte geboren werden dürfen."

Nicole drängte sie rücklings gegen die Wand. „Selbstjustiz ist keine Lösung. Selbstjustiz heilt nicht, sie ermüdet nur. Sie baut nicht auf, sie zerbricht."

Idil löste sich von ihr, ging allmählich zum Fenster. „Deine Mutter hätte ihn sowieso getötet, Nicole, und zwar auf weit, weit grausamere Art!"

„Und das macht das, was du getan hast, weniger verwerflich?"

„Du willst mir was von Verwerflichkeit erzählen?", fragte Idil ziemlich irritiert, um im nächsten Moment loszuschreien: „Du hast all die Jahre über nur zugesehen, wie deine Mutter Leute – unschuldig oder nicht – abgeschlachtet hat. In eurem Keller befinden sich haufenweise menschliche Skelette. Ich könnte heute genauso tot sein. Dieser Mann wäre heute oder morgen dran gewesen und du hättest es zugelassen. Und du willst mir erklären, was richtig und was falsch ist?"

Nicole blickte sie einen Moment lang ruhig an, ehe sie fast im Flüsterton sagte: „Ich habe nie behauptet, ein guter Mensch zu sein."

Idil versuchte sich zu beruhigen, sie seufzte und ging mit fahrigen Bewegungen im Zimmer herum.

„Aber du bist wie Licht in mein Leben getreten", bemerkte Nicole mit bittenden Augen. „Meine Welt ist immer noch grausam, aber sie ist weniger kalt, weniger dunkel."

Idil hielt inne und blickte sie kalt an. „Ich bin kein Licht, Nicole. Ich konnte nicht mal mein eigenes Leben richtig führen. Du sagst, ich würde dir guttun, aber gleichzeitig willst du, dass ich mit dir hier in diesem Haus bleibe, mit dem Wissen, dass es mir nicht guttut, dass ich daran zerbrechen werde. Sei ehrlich, du hast doch nicht wirklich geglaubt, dass es mich nicht verändern würde?"

Nicole schwieg und biss sich fest auf die Unterlippe. Sie wusste, dass Idil recht hatte.

„Du bist innerlich so zerrissen, und unfähig, deinen Willen selbst zu bestimmen, denn du hast keine Vernunft. Du bist armselig, Nicole. Und dieses Haus ..., dieses Haus steht unter der Kuratel deiner Mutter. Hier kann ich entscheiden, wer den Tod verdient. Hier habe ich dieses Recht, hier kann ich der Tod sein, und das fasziniert mich." Sie machte einen Schritt in Nicoles Richtung und blickte ihr tief in die Augen. „Ich bin nicht geblieben, weil ich Licht bin, Nicole."

„Verschwinden wir." Überraschenderweise stieß Idil in Nicoles Augen auf Hemmungen. „Verschwinden wir von hier."

Idil hielt inne. Ein Moment verstrich, in dem Nicole mit halbherziger Entschlossenheit auf eine Antwort von ihr wartete. Sie wich ihrem Blick aus und lief an ihr vorbei aus dem Zimmer. Dann zog sie sich etwas über und ging nach draußen, spazierte eine Weile um das Anwesen, bis ihre Wangen vor Kälte gerötet waren. Was war der Sinn jenes Mordes? Den Mann hätte ohnehin ein grausamer Tod erwartet. Dann fuhr es ihr vor Schreck in den Magen. Sie hatte es getan, weil sie es konnte und weil sie wissen wollte, wie sie sich danach fühlen würde. Jetzt fühlte sie sich leer.

Weiße Wolken zogen über den Himmel. Das viele Weiß strengte ihre Augen an. Sie starrte lange in die Weite. Sie dachte wieder über ihren ersten Mord nach. Sie hatte den Mann getötet. Wieso? Einfach weil sie es konnte – hier an diesem Ort. Das war´s.

Am Abend ging sie nicht zum Essen und blieb stattdessen am offenen Fenster sitzen, um zu schreiben. Der Whiskey leistete ihr Gesellschaft. Nachdem sie ein weiteres Kapitel fertig geschrieben hatte, stand sie auf und streckte sich ein wenig. Dabei fragte sie sich, was Nicole machte. Normalerweise lag sie im Bett und sah ihr beim Arbeiten zu oder las ein Buch.

Als weitere Stunden verstrichen, ging sie hinunter. Es war ruhig. Die Gäste waren nirgendwo zu sehen. Im Wohnzimmer sah sie Nicole am Fenster stehen und in die Nacht hinausblicken. Idil wollte zu ihr, doch sie blieb still auf der Türschwelle stehen. Was sollte sie ihr sagen? Leise zog sie sich zurück, nicht ahnend, dass Nicole sie im Spiegelbild der Fensterscheibe gesehen hatte.

Sie schrieb bis in die tiefe Nacht, doch Nicole war immer noch nicht zurück. Sie hielt inne, als sie hörte, wie die Tür des Gästezimmers geschlossen wurde. Sie klappte den Laptop zu. Die Nachttischlampe erhellte den Raum nur unzureichend. Idil starrte vor sich hin. Tränen schossen ihr in die Augen.

In dieser Nacht lag sie allein in dem großen Bett. Das Fenster hatte sie gekippt. Wenn Nicole hier war, hatte sie darauf verzichtet. Jetzt war das Bett kalt. Die Kälte war nicht angenehm. Sie fühlte sich einsam. Sie überdachte den Streit, den sie heute mit Nicole gehabt hatte. Sie hatte Sachen ausgesprochen, die sie niemals hätte aussprechen sollen. Sie empfand Reue.

Sie weinte leise.

Am nächsten Morgen drang ein grässlicher, qualvoller Schrei durch das offene Fenster hinein und ließ Idil aufspringen. Sie rannte zum Fenster. Dichter, stickiger Nebel umgab das Anwesen. Die Schreie kamen von unten. Eine Gruppe von dunklen Spinnen fraß sich bis zu den Knochen durch den Körper eines übergewichtigen Mannes. Als eine Spinne ihm ruckartig in die linke Brust stach, verstummte er abrupt. Die Schneedecke um sie herum war mit Blut befleckt.

Idil machte das Fenster zu und wankte ein paar Schritte zurück. Ihren Beinen fehlte die Kraft. Sie blieb einige Minuten lang stehen.

Am Nachmittag zog sie sich etwas Legeres an, dann blieb sie eine Weile vor dem Spiegel im Badezimmer stehen und betrachtete sich. Sie erkannte sich kaum wieder. Sie ging in die Küche hinüber. Hier war es leicht dämmrig. Die Außentür stand weit offen, die Spinnen hatte man inzwischen eingeschlossen, der Nebel hatte sich fast vollständig aufgelöst und die Bediensteten räumten den Garten auf. Idil trank ein Glas Wasser, belegte sich eine Semmel und aß sie am

Tisch. Ihr wurde übel, sie legte die halbe Semmel zurück.

Kälte umschloss ihr Herz. Plötzlich sehnte sie sich nach ihrer Mutter.

Sie zog ihre Stiefel an und ging nach draußen. Ihr tat das Herz weh, als sie den Garten betrachtete. Das Weiß des Schnees war unwiderruflich beschmutzt, das ganze Areal war zu einem Massengrab geworden. Blut klebte daran. Der alte Mann, der sie am Tag ihrer Ankunft an der Tür empfangen hatte, ging an ihr vorbei ins Haus, in der Hand einen mit blutigen Knochen gefüllten Kübel.

Idil verspürte plötzlich den Drang zu laufen, sie wollte vor etwas, das sie nicht benennen konnte, fliehen. Ohne Mantel lief sie durch den Garten, während die Bediensteten ihr überrascht hinterhersahen. Sie rannte zum Tor und dann über die weiße Ebene. Als sie das Tor einige Meter hinter sich gelassen hatte, machte sie Halt und drehte sich um. Ihre Schuhe, registrierte sie, hatten teils blutige Spuren hinterlassen. Sie musste in Blut getreten sein.

Das Anwesen wirkte von hier aus geradezu übermächtig.

Kalter Wind wehte Idil die Haare ins Gesicht. Wieder betrachtete sie die wenigen Blutflecken. Dann kehrte sie dem Anwesen allmählich den Rücken zu und rannte los, ohne auch nur einmal zurückzublicken.